Tri Mochyn Bach

Brodor o Lanbryn-mair, sydd wedi ymgartrefu ym mhentre'r Groeslon yn Arfon, yw'r awdur. Wedi chwarter canrif ym myd busnes, a chyfnod fel awdur amser llawn, mae erbyn hyn yn un o Gyfarwyddwyr cwmni teledu Ffilmiau'r Bont a chwmni archifo Tapas. Mae dwy o'i nofelau wedi ennill prif wobrau'r Eisteddfod Genedlaethol: *Smôc Gron Bach* (Medal Goffa Daniel Owen) a *Blodyn Tatws* (Y Fedal Ryddiaith). Hon yw ei ddeuddegfed gyfrol er 1992.

Tri Mochyn Bach

EIRUG WYN

y Lolfa

Argraffiad cyntaf: 2000

Llun y clawr: John Meirion Morris
Llun yr awdur: Dewi Glyn Jones

Rhif Llyfr Rhyngwladol: 0 86243 553 6

Cyhoeddwyd ar ran Llys Eisteddfod Genedlaethol Cymru
ac argraffwyd ar bapur di-asid a rhannol eilgylch
gan Y Lolfa Cyf., Talybont, Ceredigion SY24 5AP
e-bost ylolfa@ylolfa.com
y we www.ylolfa.com
ffôn (01970) 832 304
ffacs 832 782
isdn 832 813

I Elfyn ac Eleri

Daw'r dyfyniad ar dudalen 40 o 'The King's Threshold', W. B. Yeats.

Rydw i'n ddiolchgar i'r Athro Gwyn Thomas am ganiatâd i ddefnyddio rhan o'i gerdd 'Damwain' (Ysgyrion Gwaed, Gwasg Gee 1967). Mae geiriau eraill o'r gerdd honno yn y naratif o boptu'r dyfyniad ar dudalen 48.

Mae yna freuddwyd sy'n dy freuddwydio di.'
– *Laurens van der Post.*

DYDD SADWRN, AWST 7FED

Y BEIC SGLEINIOG NEWYDD oedd yn llenwi fy meddwl i
drwy'r dydd. Roedd o yno ar lawr y cyntedd yn barod. Ac
roedd 'na gerdyn hefo'r geiriau 'I Doti oddi wrth Mam
xxx' wedi ei rwymo i'r handl-bars hefo rhuban mawr coch.
Hwn oedd anrheg pen blwydd Doti. Oddi wrtha i. O! Fel
y byddai'r llygaid yna'n pefrio pan welent y beic! Ble
bynnag yr awn i'r bore 'ma fe ddeuai darlun o'r beic i'm
meddwl i. Y beic yn sgleinio a Doti, Doti'n saith oed, yn ei
weld o am y tro cyntaf. Dwy lygad ar agor led y pen fel
soseri mawr crynion. Gallwn ddychmygu sglein y beic yn
adlewyrchu yn niolchgarwch ei llygaid bychain gloyw.
Ond fyddwn i ddim yno. Chawn i ddim rhannu'r wefr. Ei
nain fyddai'n cael dod â'r hogan fach adre am dro. Nain
fyddai'n cael agor drws y ffrynt yn ofalus. Nain fyddai'n
cael dweud "Wannwl, be 'di hwn yn fa'ma dywad?" Nain
fyddai'n cael gweld y llygaid soser a'r wên fel giât.

Paid, Mair! Paid â chael hen blwc o hunandosturi rŵan
o bob amser. Dy ddewis di oedd derbyn y gwahoddiad a
mynd. Rwyt ti wedi gwneud dy benderfyniad. Cyfaddefa
rŵan. Rwyt ti wedi dympio Doti ar dy fam. Mae'r
penderfyniad wedi ei wneud. Mae'n ddi-droi'n-ôl. Ymhen
pedair awr ar hugain fe fyddi di ym mhen arall y byd yn
ennill ffortiwn. Smalio rwyt ti go iawn yntê? Rwyt ti'n

gwybod yn iawn mai dyma rwyt ti'i isho. Pan wnest ti dy benderfyniad, eilbeth oedd pen blwydd Doti, a lleddfu cydwybod oedd talu cant ac ugain o bunnau am feic. Cant ac ugain! Am feic! Mi fasa beic hanner y pris wedi gwneud yn iawn iddi hi, ac mi wyddost tithau hynny'n iawn. Ymhen blwyddyn mi fydd Doti'n rhy fawr, a'r beic yn rhy fach...

Roeddwn i'n ysu am adael maes y 'Steddfod. Fe fu'r tridiau a dreuliais i yno'n artaith, yn enwedig heddiw, y diwrnod olaf. Ond ar ôl yr hyn a ddigwyddodd hefo Rhodri adeg y 'Dolig, roeddwn i'n gwybod y byddai'n rhaid mynd i'r Eisteddfod eleni. Mynd yno i wynebu ffrindiau, dangos wyneb ac ailadrodd yr un hen stori hyd at syrffed. Ond nid dyna'r unig reswm yr es i i'r 'Steddfod chwaith. Yng Nghymru, mae yna ryw ddisgwyl i ddarlithydd yn y Gymraeg ddangos wyneb os nad hanner ei lordio hi ar hyd y maes. Ac eleni, oherwydd yr amgylchiadau, roedd y cydymdeimlad yn dod o bob cyfeiriad.

" 'Rhen gena iddo fo..."

"Fyddi di'n well hebddo fo 'sti..."

"Lecish i erioed mono fo."

"Gwynt teg ar ei ôl o ddeuda i."

A finna'n gorfod gwenu'n wan a nodio a chytuno hefo pob sylw ac ebwch. Ac ar brydiau, bu bron i'r cyfan fynd yn drech na mi. Roeddwn i mor falch fod Kate wedi dod hefo fi. Mae hi'n gwybod y cyfan. Bron y cyfan. Roedd hi yno i'm cynnal i. Hi a 'mhotel ffisig. Ac mae'r ffisig hwnnw gen i bob amser. Yn barod. Rhag ofn.

Ond fe gedwaist dy ben yn glir yn do, Mair? Yn nrama fawr yr wythnos, fe gofiaist y cyntaf o'th ddeg gorchymyn. Rhyw hanner pwyso weithiau ar fraich Kate. Edrych yn fwy trist na thristwch. Basdad oedd Rhodri, fe gofiaist hynny. Hen fasdad mawr cas, annifyr y mae galw ei enw i gof yn peri dychryn lond dy lygaid a chryndod drwy bob asgwrn yn dy gorff di. Wnest ti ddim dangos arlliw o wên, na rhyddhad, jyst y mymryn bach yna o ofn! Wyt ti'n cofio fel y byddet ti'n ymarfer yn y 'stafell ymolchi? Tynhau dy gorff i gyd gan adael i fymryn o gryndod ddod i'r amlwg yn dy ben yn enwedig rownd y gwefusau. Peidio â dweud dim. Cael yr hen olwg bellfreuddwydiol yna yn dy lygaid fel petai'r cofio'n dwyn hunllefau yn ôl i'th feddwl di. Ac fe weithiodd bob tro! Doedden nhw'n meddwl am yr un dim ond cydymdeimlo, a chyd-ddiolch na fyddai o'n meiddio dangos ei hen wep yn agos i ti, na Doti, byth eto.

Ac ar ôl gwyntyllu un stori fawr ddiweddar yn fy mywyd, roedd hi'n anochel y byddai'r llall hefyd yn cael ei thrafod, er ei bod yn hen stori erbyn hyn – os ydi stori Gŵyl Ddewi yn hen amser y 'Steddfod. Roeddwn i wedi ateb cwestiynau gohebydd y *Cymro* mor onest ag y gallwn i, a doeddwn i ddim yn disgwyl y fath benawdau ar y dudalen flaen yr wythnos ganlynol.

> *'Awdures ar Daith i Affrica! Comisiwn gan y Tywysog Nwgeri.'*

"Welish i dy hanas di yn *Y Cymro*!"
"Pryd w't ti'n mynd?"
"Mega-bycs o'r diwedd!"
"Pr'oda fo, ac mi fyddi'n frenhines!"

Mega-bycs! Yndi mae o, ond dydw i ddim wedi deud wrth neb faint y bydda i'n ei gael, dim hyd yn oed Kate. Ond mae o wedi croesi fy meddwl i mai hwn ydi'r cyfle i adael y twll lle 'ma unwaith ac am byth. A dyna pam dw i'n mynd. Rhag ofn.

* * *

Fe ddois i adre'n gynnar o'r 'Steddfod. Cyn gwthio'r drws
yn agored, fe lyncais fy mhoer. Mae yn y tŷ 'ma gannoedd
o atgofion, tomen o freuddwydion rhacs, hunllefau lu...
Ond roedd beic newydd Doti yn dal i sgleinio yn y cyntedd.
Oedd yna fymryn o faw ar y mydgard? Fe es i nôl cadach
i'w sychu'n syth.

* * *

Bàth! O wynfydedig fàth! Mi fydda i'n teimlo weithiau
fod bàth wedi ei greu ar gyfer Eisteddfodwyr blinedig.
Oes yna well teimlad yn y byd mawr crwn, na chyrraedd
adre o faes y 'Steddfod, rhedeg bàth poeth a llithro iddo
gan adael i'r dŵr socian a golchi'r baw a'r blinder oddi ar
gorff ac enaid? Ac fe arhosais yn y bàth am bron i awr.
Agor y tap dŵr poeth yn achlusurol i gadw'r tymheredd.
Cael glanhad go iawn. Defnyddio'r hen wydr llnau
dannedd y bydda i'n ei ddefnyddio i swilio 'ngwallt i godi
a gollwng dŵr poeth ar fy mhen, i lawr fy nghefn, yna
agor fy llygaid yn slei bach a'i wylio'n troelli'n afonydd i
lawr dros fy mronnau, a'm stumog ac i'r trochion sebon.
Tra oeddwn i yn y bath fe gymerais i lond ecob o'm ffisig
a bu ond y dim i mi syrthio i gysgu.

Mair Rhydderch! Pam na ddywedi di'r gwir yn dy
ddyddiadur? Y geiriau a ysgrifennaist ti rŵan fydd y
geiriau y byddai unrhyw un arall yn eu darllen pe gwelen
nhw dy ddyddiadur di, ond beth fyddi di'n ei gofio pan
fyddi di'n ailddarllen y geiriau hyn? Syrthio i gysgu?
Gollwng dŵr dros dy fronnau a'th stumog? Fe wyddost
mai arall oedd y wefr go iawn i ti, a honno y byddi di'n ei

dwyn i gof wrth ailddarllen! Y wefr go iawn oedd codi mymryn ar dy din yn y bàth, a gadael i'r dŵr lithro rhwng dy goesau, gadael iddo lifo trwy'r blew a'r gwefusau... estyn dy law a chau dy lygaid... mwytho â'th hirfys a symud dy holl gorff yn ôl ac ymlaen, yn ôl ac ymlaen, yn araf i ddechrau, i ryw rythm na ŵyr neb ond y ti yn iawn amdano. Wedyn, fe fyddi di'n cofio'r rhythm yn cyflymu... cofio codi dy dorso i dderbyn y llun sy yn dy feddwl... cofio dŵr y bath yn golchi'n donnau cynnes drostat ti fel roedd dy holl gorff yn ymgordeddu yng ngwewyr yr eiliadau... cofio suddo'n is ac yn is i'r bàth nes roedd godre dy wallt yn cyffwrdd y dŵr. Cofio meddwl 'Uffar otsh!' os oedd dy wallt yn gwlychu a difetha'r deunaw punt a weriaist ti hefo Ceri a Morus...

Wrth sychu fy hun, ac edrych yn y drych mawr fe sylweddolais cymaint yr oedd *Anno Domini* yn dechrau dangos ei olion ar fy nghorff! Dydi'r bronnau ddim mor uchel mwyach, mae yna fodfedd dda y medra i ei binsio ger y stretshmarcs rownd fy nghanol, ac mae cnawd y cluniau yn dechrau fflabio. A dydw i ddim ond pymtheg ar hugain oed! Deiet arall? Ddim am bythefnos!

Pymtheg ar hugain oed, un briodas a pherthynas stormus dan y belt. Arwyn wedi marw a Rhodri wedi... wedi... mynd.

Mae gen i ddwy awr eto cyn cychwyn.

Y peth olaf a roddais yn fy mag llaw oedd pasbort, pres a cherdyn credyd, a'r amlen drwchus a dderbyniais i oddi wrth gynorthwyydd y Tywysog Nwgeri o Nacca Culaam. Na, nid breuddwyd oedd y llythyr. Roedd o yno, o 'mlaen i mewn du a gwyn. Teipysgrif dduach na du, ar bapur trwm gwynnach na gwyn.

Dr Mair Rhydderch, Awdures, d/o Adran Y Gymraeg, Prifysgol Cymru, Bangor. Ymhellach i'n cyfarfyddiad

*yn Llysgenhadaeth Ei Uchelder Brenhinol y Tywysog
Nwgeri...*

Fe basiais heibio i'r paragraffau agoriadol ac ailddarllen
y prif baragraff:

*... ac wedi ymgynghori'n eang am awduron addas ac
arbenigwyr mewn chwedlau gwerin a breuddwydion,
ac yn dilyn eich cyfweliad, estynnaf wahoddiad i
chi i ddod i Nacca Culaam, lle bydd manylion yn
eich aros am y llyfr y bwriada ei Uchelder Brenhinol
ei gomisiynu. Fel y trafodwyd, eich ffi am y prosiect
cyfan fydd $250,000 ynghyd â'ch holl gostau a
threuliau. Disgwylir i chi gyflawni eich gwaith o
fewn blwyddyn. Amgaeaf fanylion a dogfennau teithio.
Bydd awyren bersonol Ei Uchelder Brenhinol yn
disgwyl amdanoch yn Heathrow fore Sul, Awst 8fed,
am 11.50 a.m. Byddwch yn cyrraedd Achlasaam
am 23.35.*

Roeddwn i wedi gwneud rhywfaint o waith cartref ers
derbyn y llythyr. Fe wyddwn mai ynys fechan i'r gorllewin o
Angola oedd Nacca Culaam, ac fe wyddwn i hefyd mai i
Luanda y byddwn yn hedfan. Roedd taith deirawr yn fy
aros wedyn. Roedd pobl Nacca Culaam yn hanu o lwyth yr
Ovimbundu – llwyth mwyaf Angola – a Phortiwgaleg oedd
prif iaith y pum mil ar hugain o bobl a drigai ar yr ynys.

Cyn gadael, ffoniais Mam a Doti. Mi wnes atgoffa Mam
eto am feic newydd Doti, ac nad ydi hi ddim i ddod yma
i'w nôl am dridiau. Fydd hi ddim yn saith oed tan ddydd
Mawrth. Saith oed! Saith mlynedd! SAITH!

Wannwyl dad, pa fodd yr eheda'r blynyddoedd! Ac mae
'na dipyn go lew o ddŵr wedi mynd o dan y bont ers saith
mlynedd.

Rwyt ti'n twyllo dy hun eto, Mair Rhydderch! Fe

wyddost yn iawn nad meddwl am enedigaeth Doti yn unig rwyt ti. Fe wyddost ti'n iawn mai Rhodri sydd ar dy feddwl di. Fo ydi dy fwgan di. Rwyt ti'n gwybod y bydd Doti fach yn iawn, ac rwyt ti'n gwybod na ddaw Rhodri byth yn ôl. Dim ond i ti biciad i'r tŷ gwydr, estyn y fforch, edrych ar y tresi trwm, arogli'r tomatos... a... a...

Tydi gofal rhieni byth yn gorffen. Yr un hen gwestiwn yn yr un hen oslef.

"W't ti'n siŵr y byddi di'n iawn, Mair?"

"Yndw, Mam?"

"Mynd i'r lle pell 'na dy hun bach..."

"Pythefnos fydda i, Mam..."

"Be 'sa Rhodri...?"

" 'Neith o ddim, Mam!"

Dyma hi'n dechrau, finna'n difaru ei ffonio hi o gwbl. Rhaid oedd ceisio'i chysuro.

"Ddaw Rhodri ddim ar y cyfyl, Mam!"

"Cofia dy ffisig!"

"Iawn, Mam."

Newydd sylweddoli rydw i ar ôl sgwennu hwn, fel y bydda i'n ychwanegu'r gair 'Mam' at bob brawddeg pan fydda i'n ddifynadd hefo hi. Poeni roedd hi am Rhodri'n dychwelyd, ond dw i'n gwybod na wnaiff o ddim. Byth. Byth bythoedd. Byth bythoedd, amen.

Pan oeddwn i'n barod ffoniais Kate, ac roedd hi'n parcio'i char y tu allan i'r tŷ mewn llai na phum munud. Dau ges yn llawn i'r ymylon a chwta ugain munud o daith ac roeddwn i yn stesion Bangor yn ffarwelio â Kate.

Roedd hi fel y bedd yno, y fi a dau arall. Er mai wythnos gyntaf mis Awst oedd hi, roedd yna wynt fel gwynt traed y meirw yn sgubo trwy'r lle. Diolch i'r nefoedd roedd y trên ar amser.

Cyn cyrraedd Penmaen-mawr roeddwn i'n pen-dwmpian...

Rydw i'n mynd i ddweud wrthat ti rŵan, Mair Rhydderch, yr hyn rwyt ti isho'i glywed. Beth sydd yn dy feddwl di yn dianc fel hyn i Affrica? Oherwydd dyna rwyt ti'n ei wneud yntê? Dianc. Cysura, cysura dy hun. Mae popeth yn iawn gartre. O leiaf roedden nhw'n iawn pan est ti i gysgu neithiwr. Roedd Doti wedi mynd at dy fam, a thithau yn y tŷ ar dy ben dy hun am y tro cyntaf ers... Na, wna i ddim dweud. Fe wela i y byddai hynny'n peri anesmwythyd i ti. Ond ga i ofyn cwestiwn? Ai hunllef gest ti, Mair Rhydderch? Hunllef a droes yn realaeth? Tithau yn awr yn ymateb i'r hunllef honno yn dy fywyd beunyddiol? Ie, hunllef oedd hi. Dim ond hunllef. Mi fyddi di'n deffro ymhen munud neu ddau ac fe fydd popeth yn iawn. Ti'n clywed? Mi fydd popeth yn iawn. Mae hyd yn oed olwynion y trên yn dweud hynny wrthat ti. Mae popeth yn iawn, popeth yn iawn, popeth yn iawn, popeth yn iawn...

Yn stesion Crewe y deffrais i! Estyn fy llyfr nodiadau a tshecio. Trên i Euston; yna'r trên cyflym i Heathrow, a byddai un o weision y Tywysog Nwgeri yno yn y stesion yn disgwyl amdanaf i.

Oedd, mi roedd o yno, hefo plac dwy droedfedd yn cael ei ddal uwch ei ben a'm henw wedi ei gamsillafu arno. Dwy lygad a dannedd gwynion mewn môr o ddüwch – dyna'i wyneb.

"Tambo, Madam Mair, gwas ei Uchelder Brenhinol y Tywysog Nwgeri." A phlygodd yn ei hanner fel cyllell boced.

Roedd Tambo'n edrych yn ddigri – doedd colar a thei ddim yn ei siwtio o gwbl. Roedd hi'n amlwg o'r ffordd y cerddai ei fod o'n fwy cartrefol mewn dillad mwy anffurfiol. Roedd colar ei grys un seis yn rhy fawr, roedd cwlwm y tei yn fawr ac yn gam, a choesau ei drowsus o leiaf ddwy fodfedd yn rhy fyr. Fe fyddai Tambo a'i wardrob yn destun sgwrs noson gyfan i Kate a minnau! Ond yr eiliad y gwelais ei wên roeddwn i'n gwybod yn reddfol rywsut y byddwn yn ei hoffi. A fo oedd wedi arwyddo'r llythyr a anfonwyd ataf i.

"Car yn eich disgwyl, Madam Mair. Dilynwch fi."

Er nad ydw i'n deithiwr mynych, es i erioed drwy rigmarôl unrhyw faes awyr ynghynt. Un codiad llaw gan Tambo, wrth ddynesu at giât, ac roedd yna ddau foto-beic, a dau heddwas ar eu cefnau, yn ein harwain tuag at gornel bellaf y maes awyr ble'r oedd awyren yn aros amdanon ni.

Dim ond rhyw hanner dwsin o weithiau rydw i wedi hedfan o'r blaen, ond roedd y daith hon yn mynd i fod yn gwbl wahanol i bob un arall. Fe wyddwn i hynny y munud y rhois i fy nwy droed yn yr awyren. Y cof oedd gen i am hedfan oedd am resi a rhesi o bobl, fel sardîns, yn llenwi pob modfedd o ofod.

Deuddeg sedd yn unig sydd ar yr awyren hon a'r rheini'n seddau moethus tu hwnt. Pob un yn gwyro'n ôl fel gwely. Pob un â bwrdd symudol yn rhowlio a chloi i greu bwrdd bwyta neu ddesg i ysgrifennu, a rhewgell â drws gwydr yn hwylus gerllaw, a'i llond o fwyd a diod. Ac mae 'na dri llun mawr o Nwgeri yn addurno'r parwydydd.

Estynnodd Tambo *menu* i mi ddewis pryd o fwyd, ac ar ôl blasu'r stêc a'r llysiau lled amrwd, a'r gwin *Rioja* hyfryd, roeddwn i'n rhegi'r frechdan gaws a'r deisen gwstard a'r banad erchyll a ges i ar y trên.

"Mae'ch sedd chi'n dyblu fel gwely, Madam Mair. Yn

anffodus, yma y byddwch chi'n cysgu heno. Fedrwn ni ddim hedfan tan y bore. Mae 'na lyfrgell yn y cefn os ydych chi isho darllen. Felly hefyd ystafell i ymolchi. Fe fydd eich cesys a'ch dillad yma i chi ymhen ychydig. Wedi i chi ddeffro bore 'fory fe gewch chi fwy o fanylion gen i. Fe fyddwn ni'n hedfan am ddeng munud i hanner dydd. Os ydych chi angen unrhyw beth o gwbl pwyswch y botwm coch uwch eich pen. Fe fydda i neu un o staff y Tywysog Nwgeri wrth law drwy'r nos."

A chyda hynny o eiriau fe'm gadawodd i ymlacio, ac i ymestyn yn ôl yn fy sedd.

Beth sydd yn chwyrlïo trwy dy feddwl di rŵan, Mair Rhydderch? Ai cynnwrf am y daith sydd o'th flaen? Ai petrus wyt ti am gyfarfod y Tywysog Nwgeri? Neu ai dim ond awyddus wyt ti i gael gwybod sut y bydd o'n talu'r chwarter miliwn o ddoleri i ti? Wyt ti'n amau o gwbl y bydd o'n talu? Oes yna lais bach y tu mewn i ti'n dweud dy fod ti eisiau gweld y pres yn gyntaf gan fod y cyfan fel breuddwyd? Mair Rhydderch, sy'n ennill saith mil ar hugain fel darlithydd (a chydig filoedd ychwanegol fel awdures) rŵan, yn sydyn, yn cael un swm o $250,000 am sgwennu un llyfr, a hynny yn ystod gwyliau tymor yr haf? Na, nid breuddwyd ydi hon, Mair Rhydderch. Pinsia dy hun ac fe gei di weld.

Rydw i newydd binsio fy hun am fod y cyfan fel breuddwyd.

Wedi cymryd fy ffisig fe es i gysgu.

DYDD SUL, AWST 8FED

MI GYSGAIS GWSG Y MEIRW. Rhwng y 'Steddfod a'r daith
ar y trên rhaid 'mod i wedi blino'n dwll. Ac fe ddaeth
cwsg yn gyflym neithiwr. Does gen i ddim cof o gwbl am
hel meddyliau cyn cysgu na breuddwydio wedyn.

Celwydd! Mae dy ddyddiadur di'n dweud celwydd, Mair
Rhydderch. Pam na ddywedi di'r gwir? Pam rwyt ti'n
mynnu ysgrifennu pethau mor garlamus ac anghywir yn
dy ddyddiadur? Rwyt ti'n byw dy gelwydd. Fel pe baet
ti'n credu mai cyfres o freuddwydion yw bywyd ac y cei
di ddewis a dethol a stumio yr hyn rwyt ti'n ei gofio.

Pam na wnei di adduned i ti dy hun?

Am unwaith rwyt ti am sgwennu'r gwir, yr holl wir, a'r
gwir yn unig, yn dy ddyddiadur. Dweud yn union beth
sydd yn dy feddwl di. Ar hyn o bryd, rwyt ti'n ysgrifennu
yn dy ddyddiadur fel pe baet ti'n ymwybodol y bydd
rhywun arall yn ei ddarllen o ryw ddydd a bod gen ti ofn
iddyn nhw weld a chlywed dy wirionedd.

Pam na wnei di adduned i ti dy hun?

Sgwenna'r gwir, ac ar derfyn pob mis llosga dy
ddyddiadur. O leiaf fe fyddet ti'n onest. O leiaf fe fyddet
ti'n ailddarllen ac yn wynebu'r hyn a wnest ti go iawn yn
hytrach na byw ar gelwydd... Y gwirionedd sy'n ddiddorol
– nid y rwtsh rwyt ti'n mynnu ei ysgrifennu.

Pam na wnei di adduned i ti dy hun?

Fe freuddwydiaist ti neithiwr. Breuddwyd Melusina, y neidr ddeuben. Roeddet ti yn sownd yn y ddaear, fel pe bai dy draed wedi magu gwreiddiau a'u gwthio'n ddiollwng i bridd dy henfro. Ac yna, dan hisian gan gynddaredd fe sleifiodd y neidr tuag atat. Aros deirllath draw o'th draed cyn llithro eto ar ei thor, a thynnu cylch eang o'th amgylch. Melusina'n dy hawlio di. Melusina'n dy gaethiwo di. Melusina ddeuben. Pen Arwyn. A phen Rhodri...

Gwna adduned newydd i ti dy hun, Mair Rhydderch, a dechrau arni heddiw. D'wed y gwir. Y gwir am Rhodri. Ar dy daith i Luanda, ysgrifenna hanes dy gyfarfyddiad â Rhodri, a chofia dy adduned. D'wed y gwir.

Ar wyliau y cyfarfyddais i â Rhodri, ac roedd ein cyfarfyddiad cyntaf yn un anffodus a dweud y lleiaf. Roedd Doti'n dair oed, minnau'n weddw ers tri mis a'r ddwy ohonan ni wedi mynd i Corfu am wythnos – wedi cael gwyliau munud olaf. Gwyliau i ddianc. Gwyliau i anghofio. Gwyliau cyntaf heb Arwyn. Gwyliau i helpu i ymgodymu. Minnau'n gwybod mai be fasa fo mewn gwirionedd fasa gwyliau i'm hatgoffa i o 'ngholled.

Wedi diwrnod hir o chwarae yn y pwll nofio roedd Doti wedi cael ei bàth ac wy wedi'i ferwi i swper ac yn rhochian cysgu'n braf pan es innau am gawod. Cawod hir, boeth ac oer, i olchi chwys a blinderau'r dydd oddi ar fy nghorff. Ac roeddwn i'n ysu am yr awr wedyn, pan gawn i gamu ar y balconi hefo potel o win a llyfr. Codi 'nhraed, ymgolli yn un o greadigaethau boncyrs T. Coraghessan Boyle, a dianc.

Roeddwn i wedi rhoi un o'r llieiniau mawr amdanaf i gerdded i'r 'stafell wely ac, wedi i mi sychu fy hun yn iawn, sefais o flaen y drych anferth i edrych ar fy nghorff ac i edmygu'r lliw haul newydd wrth rwbio'r hylif oer i'm croen. Mi glywais sŵn traed ar y grisiau concrid y tu allan ac mi ddigwyddais godi 'mhen a sylwi nad oedd llenni fy 'stafell wedi eu tynnu'n llawn a bod yna ddyn yn sefyll yno'n syn ac yn edrych arnaf i. Bu ond y dim i mi sgrechian a gweiddi gan feddwl mai perfyn oedd o ond, fel hogyn bach wedi ei ddal yn gwneud drygioni, fe wenodd a chodi ei ddwy law dros ei lygaid cyn troi ar ei sawdl a cherdded at ddrws ei apartment ei hun a chamu iddo.

Fûm i erioed yn un â chywilydd o 'nghorff, a fyddwn i ddim wedi meddwl ddwywaith ynglŷn â thorheulo'n fronnoeth, mwy nag a wneuthum yn nyddiau coleg erstalwm pan fyddai nofio canol nos yn beth digon cyffredin ym misoedd yr haf. Ond rhwng cawod ac ymbincio mae gweddw ifanc ar ei mwyaf bregus – neu o leiaf felly y teimlwn i'r noson honno. Ac roedd yr adyn mwstasiog yma, pwy bynnag oedd o, wedi tresmasu ar fy mhreifatrwydd. Am weddill y noson fedrwn i ddim cael yr wyneb yna o'm meddwl. Pwy oedd o? Roeddwn i'n credu i mi ei weld o'n darllen ac yn smocio ar ei ben ei hun yng nghornel dawelaf bar y pwll nofio. Am ba hyd y bu'n sefyll yno'n edrych arnaf i? Beth pe bawn yn dal ei lygad drannoeth? Oedd o wedi 'ngweld i'n codi mronnau a'u gwasgu at ei gilydd? Fy ngweld yn troi wysg fy ochr gan ddal fy ngwynt (a'm stumog!) i mewn. Oedd o wedi fy ngweld i yn sychu fy hun yn iawn hefo'r lliain mawr? Sychu pob twll a chornel yn ofalus...

Drannoeth, roeddwn i a Doti yn y pwll pan welais i o'n dod hefo'i liain ar ei ysgwydd. Roedd o'n cerdded yn syth tuag ataf i. Fedrwn i mo'i osgoi o, ac fel roedd o'n pasio roeddwn i ar fin dweud rhywbeth wrtho fo pan gododd ei ddwylo eto dros ei lygaid, agor mymryn ar ei fysedd a sbecian yn slei bach drwyddyn nhw.

"Fi o'dd ar fai," meddai – yn Gymraeg.

Am eiliad fedrwn i ddim meddwl am ateb iddo.

"Cymro 'dach chi?" oedd fy ymateb gwirion.

"Ie."

"Ond sut gwyddoch chi...?"

"Eich clywed chi'ch dwy yn siarad, ac yn 'whare."

Gwenais arno. Cyn amser cinio roedden ni'n dau yn ffrindiau, ac roedd o a Doti yn ffrindiau pennaf. Yn gymaint ffrindiau fel y mentrais adael y ddau hefo'i gilydd am bum munud a mynd yn ôl i'r apartment i gymryd fy ffisig. Llowciais a gorwedd am funud ar y gwely... a meddwl am Rhodri.

Rwyt ti wedi newid, Mair Rhydderch! Am unwaith rwyt ti wedi ysgrifennu popeth yn union fel y digwyddodd! Dyna'n union sut y cyfarfyddaist ti â Rhodri a wnest ti ddim celu dim. Dim hyd yn oed y ffaith dy fod ti wedi ymddiried gwarchod dy ferch fach deirblwydd oed i ddyn diarth. Dim ond am bum munud mae'n wir, ond roedd pum munud yn ddigon i ti gael dy ddos o ffisig yn doedd, Mair?

Cofio breuddwyd Jacob wnest ti, Mair Rhydderch? Dyna sut y byddi di'n cychwyn dy gadwyn freuddwydion yntê? Dyna sut yr hyfforddodd Arwyn ti i gychwyn y cylch, ac felly y byddi di wrthi bob nos.

Cychwyn hefo breuddwyd Jacob. Y freuddwyd gyntaf erioed i'w chofnodi yn y Beibl, a'r freuddwyd a ddaw i ti amlaf wedi i ti gael dy ddos o ffisig cyn cysgu. Oherwydd fe fyddi di'n cofio Arwyn yn ei dadansoddi a'i chymharu hi â'r ffordd o fyw oedd gan y Senoi ym Malaysia. Symud ymlaen wedyn at y Senoi a gredai yn angerddol yn nerth breuddwydion. Fe fyddi di'n cofio am y llyfr 'Pygmies and Dream Giants'. Dim gwrthdrawiad, dim torcyfraith a dim rhyfeloedd o fewn y llwythau ers tri chan mlynedd. Ac mae hynny'n tawelu dy feddwl, mae'n dy arwain i fyd o lonyddwch ble y byddi di'n cofio am eu breuddwydion rhywiol nhw. Ac yn Corfu, pan biciaist ti'n ôl i'th 'stafell, roeddet ti'n meddwl am Rhodri law yn llaw â meddwl am y Senoi. Rhodri a fu'n gwarchod Doti er mwyn i'w mam gael pum munud bach... Pum munud bach o ymgolli... oherwydd roedd llwyth y Samoi yn mynnu, pan fydden nhw ynghanol breuddwyd rywiol, ei bod hi bob amser yn gorfod symud ymlaen a bod rhaid iddi ddiweddu hefo orgasm. Dim deffro nes cyrraedd yr uchafbwynt. Dyna'r ffordd o drechu unrhyw elyn a darpar elyn. Breuddwydio breuddwyd ddisgynnol. A gadael i ti dy hun ddisgyn. Disgyn, disgyn a disgyn. Ac os deuai rhwystrau neu elynion i'th lwybr, roeddat ti'n gweiddi ar dy deulu a'th gyfeillion i'th gynorthwyo. A byddai dyfodiad unrhyw elyn i'r freuddwyd honno, neu i'th fywyd wedyn, yn troi'n gryfder mewnol. Roedd dy freuddwydion dithau y dwthwn hwnnw yn ddrych o freuddwydion y Senoi, Mair Rhydderch. Wyt ti'n cofio dy freuddwyd dy hun y noson honno, y noson y cyfarfyddaist ti â Rhodri go iawn? Roeddat ti yn y bàth – nid yn y gawod – yn golchi blinder y dydd, a Rhodri'n llenwi dy feddyliau. Roeddat ti'n tywallt dŵr hyd dy gorff y noson honno hefyd pan glywaist ti Doti'n crio ac yn curo'r drws isho mam... ond stopiaist ti ddim. Roeddat ti'n dal i rofio'r dŵr, yn dal i symud nes golchodd ton ar ôl ton o orfoledd dros dy holl gorff di. Roeddat ti mewn breuddwyd ddisgynnol. Fedret ti ddim deffro; rhaid oedd ei breuddwydio i'w therfyn. Roedd rhaid cau deisyfiadau dy ferch o'th feddwl, anwybyddu greddf mam a boddhau hunanoldeb ac angen a nwyd cnawdol. Ac wedyn, wedyn fe wyddet. Fe wyddet ti wedyn.

Ar ôl cysuro Doti fach, fe wyddet ti wedyn fod Rhodri wedi ffeindio ei ffordd i'th fywyd di. Roedd Arwyn wedi mynd a Rhodri wedi dod. Ac roedd yna groeso iddo fo.

Wedi ysgrifennu am ryw awr, bu Huwcyn Cwsg yn mynd a dod weddill y daith. Fedra i ddim peidio â meddwl weithiau tybed beth faswn i'n ei wneud rŵan petai Arwyn yn dal yn fyw? Go brin y baswn i ar fy ffordd i Affrica. Roedd yn gas gan Arwyn deithio heb sôn am hedfan.

Roedd o ddeng mlynedd yn hŷn na mi a phan gyfarfyddais i ag o gyntaf roedd o'n gweithio yn yr Amgueddfa Werin yn astudio chwedlau a breuddwydion o bob math. Ac roedd o'n arbenigwr yn ei faes. Mewn parti Nadolig roeddan ni – minnau'n ddarlithydd rhan-amser saith ar hugain oed yn y Brifysgol yng Nghaerdydd, ac wedi mynd yn sgil ffrind, Anwen, oedd yn ymchwilydd hefo'r BBC, i barti cyfryngol yn Plastirion Avenue. Pan gerddais i mewn i'r 'stafell fe wnaeth Arwyn bi-lein amdanon ni.

"Anwen!" meddai fo gan gyfarch Anwen ac edrych arnaf i. Gafaelodd yn fy llaw ac edrych i fyw fy llygaid a bowio. "Be 'di enw dy ffrind, a lle mae hi 'di bod ar hyd fy oes i?"

"Arwyn, Mair. Mair, Arwyn." Ac fel eglurhad pellach fe ddywedodd Anwen yn sarcastig, "Mae Mair yn ei hugeiniau ac yn ddarlithydd Cymraeg, ac mae Arwyn yn ganol oed, hai as e cait, ac yn briod!"

"Anwen!" ceryddodd Arwyn hi wrth gusanu fy llaw. "Dw i'n ganol oed cynnar, yn smocio baco o Morocco, a dw i a'r wraig yn ca'l *trial permanent separation,* ac mae'n bleser ca'l cyfarfod Mair o...?"

Doeddwn i ddim yn dallt.

"O ble mae Mair yn dod? Ac o bosib pe *na* bawn i'n gwybod mai darlithydd yn y Gymraeg ydi hi baswn i wedi dweud – ble mae Mair yn dod o? Ond er mai casglwr chwedlau a breuddwydion bach di-nod a digoleg ydw i, fe wn i am arddodiaid! Pob un o'r basdads – am, ar, at, gan, heb, i, o, tan, tros, trwy, wrth, hyd! Addysg bro'r chwareli!" A bowiodd drachefn.

Fedrwn i wneud yr un dim ond chwerthin. A hefo fo y bûm i am y rhan fwyaf o'r noson, yn chwerthin ac yn mwynhau ei gwmni. Os mai sudd oren roedd o'n ei yfed, wyddwn i ddim be ddiawl roedd o'n smocio! Rôl-ior-ôn hefo hoglau uffernol ar y baco.

Y noson honno fe ges i 'nghyflwyno i fyrdd o bobl, ond roedd o yno drwy'r amser. Yn hofran ychydig droedfeddi oddi wrtha i, yn fy achub rhag pob bôr a difyrryn oedd yn y parti. A doeddwn i ddim yn meindio hynny. Hyd yn oed ar ddiwedd y noson pan oedd o'n eistedd mewn cadair freichiau, a minnau ar ei lin, yn cael dadl uwchddeallusol am y Celtiaid hefo Meirion J Morris, y cerflunydd barfog o Benllyn.

"Dy broblem di, Morris, ac arlunwyr Cymru heddiw, os ca i ddeud, ydi eich bod chi'n gweld popeth yn nhermau rhyw. Rhaid cael elfennau rhywiol ymhob peth, a 'dach chi'n cyfiawnhau hynny drwy ddweud mai dylanwad y Celtiaid ydi o! Ma' isho symbol ffalig ymhob llun a cherflun a hwnnw'n dod o'r ddaear – y Fam Ddaear! Bolocs! Pyrfyrts sy'n galw eich hunain yn artistiaid ydach chi!"

Ac wrth iddo ddadlau fel hyn roedd ei law chwith yn mwytho bach fy nghefn ac yn symud ar draws yn araf tuag at fy mron chwith.

"Traddodiad ydi o," dadleuodd Meirion J Morris. "Rydan ni'n gaeth i'n traddodiad ac yn elwa ohono fo. Yn union fel rwyt ti'n olrhain chwedlau gwerin, yn astudio chwedlau'r Mabinogi neu'n dehongli breuddwydion. Rwyt ti'n eu dadansoddi ac yn gweld elfennau ohonyn nhw yn straeon ac ym mywyd heddiw. 'Twyt ti wedi bod yn rhefru am hydoedd am freuddwydion rhywiol rhyw lwythau yn Awstralia!"

"Y gwahaniaeth ydi hyn. Dw i ddim yn mynd ar ôl y pethau rhywiol er mwyn siocio... aaaw!"

Arno fo'r oedd y bai. Yng ngŵydd pawb roedd o wedi dod â'i law rownd fy nghefn i ac yn rhwbio ochr fy mron chwith. Ac roedd hi'n gwbl amlwg fod pobl yn sylwi. Mi godais innau foch dde fy nhin a phlannu fy llaw rhwng ei goesau a gwasgu'n galed nes roedd o yn ei ddyblau yn mwytho'i gwd, a minnau wedi neidio ar fy nhraed – a'm llygaid yn melltennu – a sefyll o'i flaen yn ei herio. Dechreuodd pawb chwerthin. Yntau hefyd yn y diwedd ac fe ymddiheurodd i mi yng ngŵydd pawb.

"Baco Morocco!" meddai wrtha i yn ddiweddarach. "Ar hwnnw mae'r bai! Madarch wedi eu sychu sy'n tyfu ar ben cachu gwartheg yn Ne America. *Teonanacatl* ydi'r gair amdano fo – yn anffodus mae o'n affrodisiac hefyd!"

"Pam ddiawl 'ti'n ei alw fo'n Baco Morocco?"

"W't ti 'di gweld camal pan welith o gamelas ...?"

Fe gymerodd hi chwe mis iddo fo ysgaru'i wraig ac, ymhen chwe mis arall, roeddwn i'n briod hefo dyn oedd ddeng mlynedd yn hŷn na mi. Ond roeddan ni'n agos. Yn ffrindiau yn ogystal â bod yn ŵr a gwraig. Fo oedd fy ffrind gorau i. Mi fedrwn i ddweud pethau wrtho fo. Ymddiried yn llwyr ynddo fo, a fyntau ynof innau. Ac roeddan ni'n hapus.

Ac nid *teonanacatl* oedd yr unig 'ffrind' fuo'n rhannu'n perthynas...

Rwyt ti'n meddwl am Arwyn yn rhy aml, Mair! Mae o wedi marw! Marw! Peidio â bod! Gorffen! Rhaid i ti ollwng y gorffennol a throi at y dyfodol. Mae Arwyn wedi bod, ac wedi peidio â bod. Fedri di ddim byw ar y gorffennol. Dw i'n gwybod dy fod ti eisiau dal dy afael mewn rhai pethau, ac fe fydd y rheini yn eiddo i ti am byth, ond yn dy feddwl di y bydd y rheini'n gorfod bod. OK. Dw i'n gw'bod y medri di eu cynnwys nhw yn dy gyfrolau, newid yr enwau a'r amgylchiadau fel mai dim ond y ti sy'n gw'bod go iawn, ond twyll ydi hynny. Puteinio dy ddoniau rwyt ti. Mae llenyddiaeth i fod i ddysgu rhywbeth newydd i ni am fywyd yn ei holl gymlethdodau. Ymestyn y dychymyg. Mae pawb yn gwybod mai Arwyn oedd 'Pedr', y prif gymeriad yn dy nofel ddiweddaraf di, ac rwyt tithau'n gwybod i ti wneud camgymeriad – sgwennu am y peth yn rhy agos i'r digwyddiad. Cofia reol y profiadau! Pan fo profiad mawr yn dod i'r wyneb, myga fo, gwthia fo'n ôl yn ddwfn i'th ymysgaroedd. A phan ddaw o i'r wyneb drachefn, fe fydd yn burach. Myga fo'r eildro, a phan ddaw i'r wyneb y trydydd tro bydd yn burach fyth. Meddylia mewn difri sut un fydd y profiad hwnnw yr hanner canfed tro y daw o i'r wyneb... y canfed tro? Wedyn fe fyddi di'n barod i sgwennu amdano fo!

Roeddat ti wedi dechrau croniclo dy hanes di a Rhodri. Honno oedd y berthynas stormus. Honno fu'n gyfrifol am chwalu dy fywyd di. Fe wyddost ti a minnau am y blynyddoedd hapus a gest ti hefo Arwyn. Rhodri oedd dy chwalfa di. Rhodri.

Fel y trawai teiars yr awyren y rhedfa ym maes awyr Luanda fe ges i'r teimlad annifyr na fyddwn i'n mwynhau'r wythnos oedd i ddod o gwbwl. Galwch chi o be fynnwch chi, rhagwelediad, greddf… ond fe ddaeth yr hen deimlad hwnnw heibio i mi. Mae maes awyr Luanda yn un llwm iawn o'i gymharu â Heathrow. Maen nhw mor annhebyg i'w gilydd â gwerddon ac anialwch.

"Newid bach yn y trefniadau, Madam Mair," meddai Tambo. Pwyntiodd â'i fys at awyren fechan."Mi fyddwn yn Nacca Culaam dipyn cynt."

Ymhen hanner awr roedden ni'n glanio yn Achlasaam.

Mae cyfoeth Nwgeri, o'i gymharu â chyfoeth ei werin, yn amlwg iawn. Roedd yna ddau Mercedes du yn dod tuag at odre grisiau'r awyren fel roeddwn i'n dod oddi arni. Roedd 'styllod yn rhedeg ar hyd ochr y car cyntaf, a dau warchodwr hefo gynnau yn sefyll ac yn reidio arnyn nhw wrth i'r ddau gar ddynesu. Roedd yr ail gar yn hwy ac yn drymach, a'i ffenestri wedi'u duo.

"Fyddwn ni ddim yn hir, Madam Mair," eglurodd Tambo.

Wrth i Tambo a minnau ddilyn car y gwarchodwyr a gyrru trwy strydoedd culion Achlasaam, prifddinas Nacca Culaam bu'n rhaid i ni arafu ac aros ennyd wrth groesffordd. Mewn chwinciad roedd tlodion troednoeth wedi amgylchynu'r car o'n blaenau, ac yn gweiddi "El Niño! El Niño!"

Eglurodd Tambo mai talu gwrogaeth i Nwgeri yr oeddan nhw. Fe fyddai'r tywysog weithiau yn agor ffenestr y car ac yn taflu allan ddyrnaid o arian. Ond heddiw, fodd bynnag, nid blas ar gyfoeth eu tywysog a gafodd y tlodion.

Cododd y ddau warchodwr oedd yn reidio y tu allan i'r car o'n blaenau gan ddal eu gynnau'n uchel i'r awyr a'u tanio. Ciliodd rhai o'r dorf; roedd rhai ohonyn nhw yn eu dagrau, ond roedden nhw'n dal i weiddi, "El Niño! El Niño!"

Gwelais un o'r gwarchodwyr yn estyn cic ffyrnig at ben plentyn a ddaethai yn rhy agos at y car, a'r llall yn gweiddi'n fygythiol ar griw arall a ddynesai.

"Beth maen nhw'n ei weiddi?" mentrais ofyn i Tambo.

"Maen nhw'n dal i alaru am Igoris," eglurodd yn swta. Ond doedd ei eglurhad ddim yn taro deuddeg. Oherwydd roedd yna ffyrnigrwydd yn y gweiddi, fel pe baen nhw'n edliw i ni eu galar.

"Ond..." Roeddwn i eisiau gwybod pam roedd y gwarchodwyr mor llawdrwm ar alarwyr mab Nwgeri, ond brathais fy nhafod. Cawn ofyn hynny eto.

Ymhen amser fe ddaethon ni i olwg palas Nwgeri. Palas ydoedd wedi ei godi ynghanol ugain erw o dir ffrwythlon, ir, a wal gryn ddeg troedfedd o uchder yn ei amgylchynu. Drwy addurniadau'r ddwy giât haearn gallwn weld ffordd lydan, braf, unionsyth yn arwain ar ei hunion at brif borth y palas. Rhaid bod galwad wedi ei gwneud o gar y gwarchodwyr oherwydd roedd y gatiau yn araf agor wrth i ni ddynesu atyn nhw. Wedyn y gwelais i'r cysgodion yn ffenestri'r ddau dŵr oedd o bobtu'r gatiau.

Fedrwn i ddim peidio â sylwi ar y gwahaniaeth rhwng y tirwedd y tu mewn i'r waliau a'r tirwedd y tu allan. Rhaid fod gan Nwgeri system ddyfrio i gadw'r gwyrddni drwy fisoedd yr haf.

Wrth i'r car ddynesu at y porth mawr, fe ges i fy nghip cyntaf ar y Tywysog Nwgeri. A llamodd fy nghalon. Mae Nwgeri'n *doppelganger* i Omar Sharif! Fe ges i'r teimlad ei fod yn orgroesawgar, ond doedd dim modd anwybyddu'r wên, y dannedd gwynion, perffaith, a'r llygaid duon, dyfnion. Efallai ei fod yn cario mymryn gormod o bwysau, ond gŵr golygus a hardd a safai yno i'm croesawu. Gafaelodd yn fy llaw â phawen gynnes, galed, a'i chodi at ei wefusau.

"Mae bob amser yn bleser dod wyneb yn wyneb â harddwch fel yr eiddoch chi, Madam Mair." A chusanodd fy llaw. Roedd fy nghoesau fel jeli.

"Rydw i wedi edrych ymlaen i'ch cyfarfod..."

"Fe aiff Tambo â chi i'ch ystafell; wedyn pe baech cystal â dod ataf i i'r llyfrgell ymhen rhyw hanner awr... neu pan fyddwch chi'n barod. Fe fydd yna was neu forwyn y tu allan i'ch drws i'ch tywys." A gwenodd drachefn.

Cefais fy arwain gan Tambo drwy'r prif gyntedd ac i fyny grisiau cerfiedig o bren caled tywyll. Ugain llath ar hyd y coridor, i'r dde o frig y grisiau, agorodd Tambo ddau ddrws a arweiniai i ystafell anferth, ac amneidiodd arnaf fi i fynd i mewn yn gyntaf.

"Hon yw eich ystafell chi, Madam Mair."

Fy 'stafell i? Fy 'stafelloedd i! Lolfa, 'stafell wely a 'stafell ymolchi, ac nid gormodiaith ydi dweud bod eu harwynebedd yn llawer mwy na'm cartref i. Mae moethusrwydd yn diferu o'r nenfwd i'r llawr. Carped migyrnddwfn porffor a chyfres o gadeiriau trymion wedi eu gorchuddio â lledr du. Cadair o ledr gwyn wedi ei gosod o flaen y ffenestr ddwbl a bwrdd isel o eboni o'i blaen. Ar hwnnw roedd pob math o gylchgronau. Ar y waliau hongiai paentiadau – rhai'n amlwg yn hen ac eraill yn fodern – a'r un a dynnodd fy sylw oedd y mwyaf ohonynt. Chwe troedfedd sgwâr o lun, a doedd dim modd camgymryd y llygaid yna, er ei bod yn amlwg i'r darlun gael ei baentio pan oedd Nwgeri'n iau.

Roedd dau ddrws llai o faint yn agor i'r ystafell wely, ac os oedd naws drom i liwiau'r lolfa, roedd hufen yr ystafell wely yn wrthgyferbyniad llwyr. Gyferbyn â mi gwelwn wely mawr, bwrdd a lamp. I'r chwith ffenestr, ac i'r dde gyfres o ddrysau drych. Ar yr olwg gyntaf edrychai'n ystafell foel o'i chymharu â'r lolfa.

Wrth gamu at y drws canol dywedodd Tambo, "Drwy'r drws hwn mae'r ystafell ymolchi; mae'r gweddill yn gypyrddau i chi hongian eich dillad ac mae yna ychydig o fanion yn y cwpwrdd ar y dde rhag ofn y byddwch chi'n teimlo'n sychedig neu angen snac unrhyw bryd."

"Ardderchog!" Fedrwn i ddim meddwl am air gwell.

"Fe fydd eich cesys yma toc..." a gadawodd.

Erbyn i mi archwilio'r ystafell ymolchi, y cypyrddau dillad a'r cwpwrdd bwyd a diod, a dychwelyd i'r lolfa, roedd fy nghesys wedi cyrraedd. Wedi dadbacio mi ges i gawod hir a phoeth.

* * *

Awr yn ddiweddarach, roedd Tambo'n fy arwain i'r brif lolfa ac yno roedd Nwgeri, wrth ddesg yn llawn o bapurau, yn aros amdanaf. Cododd ar unwaith a chroesi'r ystafell tuag ataf. Gafaelodd yn fy llaw a'i chusanu.

"Popeth yn iawn, Madam Mair?"

"Mae gennych chi gartref arbennig..."

Gwenodd, a'm harwain at y drysau gwydr. Gwthiodd y ddau yn agored a chlywn wres y dydd yn fy nharo'n syth.

"Fe gawn ni sgwrsio ar y patio... Tambo, diodydd."

Gadawodd Tambo yn ufudd.

Prin yr oeddwn i wedi eistedd pan ddychwelodd Tambo yn cario hambwrdd yn llawn o ddiodydd oer.

"Dŵr… os gwelwch yn dda."

Am beth amser wedi yfed ei ddracht cyntaf bu Nwgeri'n dawel, fel pe bai'n hel ei feddyliau. Efallai nad oedd yn siŵr iawn sut i gychwyn ei sgwrs neu mae'n bosib mai aros i Tambo ein gadael yr oedd.

"Flwyddyn union yn ôl, bu farw fy mab yn ddeg ar hugain oed." Methodd gario 'mlaen am ysbaid oherwydd fe'i llethwyd gan ei deimladau. Tynnodd hances wen o boced ei siaced a sychodd ei wyneb. "Maddeuwch i mi… rydych chi'n astudio breuddwydion a chwedlau gwerin?"

Roedd ei gwestiwn yn annisgwyl a dweud y lleiaf. Roedd o'n gwybod yn iawn mai dyna oedd fy maes arbenigol, ac roedd yn un o'r rhesymau pam yr atebais y llythyr cyntaf a ddaeth oddi wrtho.

"Wedi arbenigo ar rai fy ngwlad fy hun, ac wedi ymddiddori yn rhai llawer gwlad arall… roedd fy niweddar ŵr yn arbenigwr rhyngwladol…"

"Ydych chi'n gyfarwydd â Breuddwyd Asnoch? Asnoch y Mochyn?"

"Chlywais i erioed amdani." Doeddwn i'n gweld dim pwrpas dweud celwydd. "Ond mae yna freuddwydion am foch a phob math o anifeiliaid yn perthyn i sawl chwedl o sawl gwlad," ychwanegais.

"Roedden ni'n credu fod y chwedl yn perthyn yn benodol i'n llwyth ni, ond fe brofodd Igoris hynny'n anghywir. Roedd o wedi bod yn astudio chwedlau gwerin yr Aborigines yn Awstralia ac wedi dod ar draws straeon tebyg yno."

Oedodd am ychydig cyn gofyn ei gwestiwn nesaf. "Ydych chi wedi astudio breuddwydion yn benodol?"

"Rydw i'n gyfarwydd â dehongliadau a doethinebau Jung a Freud ar y pwnc… fel y dywedais, roedd fy niweddar ŵr..."

"Fe wn i amdano fo, a'i waith," meddai'n dawel. Yn rhy dawel.

"Rydych chi'n gwybod am Arwyn?"

Nodiodd. Un gair oedd ei gwestiwn nesaf, a minnau'n ceisio dirnad sut ar wyneb y ddaear y gwyddai am Arwyn.

"Dreamtime?"

Roeddwn i'n cael y teimlad ei fod o'n chwarae hefo fi. Yn ffensio. Yn pysgota... yn rhoi prawf i mi, ond i ba bwrpas? Doedd yna ddim math o resymeg na dilyniant i'w sgwrs. Wrth gwrs fy mod i'n gyfarwydd â *Dreamtime*. Byddai unrhyw un oedd wedi astudio'r hen Eifftiaid, yr Aborigines neu Goethe, o ran hynny, yn gyfarwydd â *Dreamtime*.

"Y gred fod gan bob bod dynol ddau enaid 'dach chi'n 'feddwl?"

Nodiodd yn araf a gwenu.

"Yn ystod yr wythnos nesaf, fe fyddwch chi'n dod hefo Tambo a minnau ar daith. Rydw i'n awyddus i chi ymweld â Catalunya, Calella de Palafrugell yn benodol. Mae gen i gartref yno, ac fe fydd yn hanfodol i chi ymweld â fan'no ar gyfer eich gwaith ymchwil."

Unwaith eto doeddwn i'n gweld dim llinyn cyswllt na rhesymeg i'w sgwrs.

"Ac i beth yn benodol y bydda i'n ymchwilio?"

Ailadroddodd un o'i frawddegau blaenorol.

"Flwyddyn union yn ôl, bu farw fy mab, Igoris, yn ddeg ar hugain oed." Ond roedd o'n fwy hunanfeddiannol y tro hwn. Aeth ymlaen. "Roedd Igoris yn ddehonglwr breuddwydion, yn gyfarwydd â gweithiau arbenigwyr diweddar ac yn darlithio'n rhyngwladol ar y pwnc. Ers tair blynedd, y fo oedd darlithydd gwadd blynyddol

Prifysgol Princetown yn New Jersey – y darlithydd gwadd 'fenga erioed – a deuai arbenigwyr bydeang i wrando arno."

Oedd o'n gor-ddweud? Doedd yr enw 'Igoris' ddim yn canu cloch.

"Dydw i ddim yn deall... beth yn union fydd fy ngwaith i?"

"I ddechrau, rydw i isho cyhoeddi cofiant iddo fo, cofiant fydd yn gofnod cronolegol o'i fywyd ac yn cloriannu ei gyfraniad i'w bwnc. Dyna fydd rhan gyntaf eich gwaith chi, Madam Mair. Wedyn, yr ail ran... fe fyddwch chi'n gyfrifol am gasglu ei bapurau ynghyd ar gyfer eu cyhoeddi."

Roedd honna'n gowlaid go fawr! A dim ond blwyddyn i'w baratoi! Finna'n meddwl y gallwn wneud y gwaith yn ystod gwyliau'r haf.

"Yn drydydd..."

Suddodd fy nghalon. Roedd y ddwy ran gyntaf yn mynd i lowcio f'amser.

"Mae'r trydydd, a'r olaf, yn fwy personol..."

Pan ddywedodd hynny fe deimlwn fy nghalon yn dechrau pwmpio. Beth ar wyneb y ddaear roeddwn i wedi ei wneud yn derbyn ei wahoddiad? Ehedodd pob math o bosibiliadau trwy fy meddwl ar amrant. Doeddwn i ddim wedi gweld na chlywed sôn fod ganddo wraig, a chofiais am yr argraff a wnaeth y llygaid duon arnaf a'r cyffyrddiad llaw cyntaf. Doedd bosib ei fod yn disgwyl...?

Ac fel pe bai'n gwybod yn union beth oedd yn chwyrlïo trwy fy meddwl, ychwanegodd hefo cysgod o wên ar ei wyneb, "Mae a wnelo hynny hefyd ag Igoris."

Wn i ddim os sylwodd o ar y don o ryddhad a olchodd drosof yr eiliad y llefarodd y geiriau hynny.

"Mae'i holl bapurau o ar gael yn fy llyfrgell bersonol i

ac..." ychwanegodd hefo gwên letach, "... yn Saesneg roedd o'n cadw'i nodiadau a'i ddyddiadur! Tambo?"

Daeth Tambo i'r ystafell.

"Fe awn ni i'r llyfrgell"

Cyn mynd i'r llyfrgell estynnodd Nwgeri amlen i mi. Ynddi roedd yna gofnod o drosglwyddiad banc o $75,000 a wnaed heddiw'r bore. Gallwn ddychmygu wyneb Emyr Pugh, y bancar, pan ddeuai'r arian drwadd. Sawl gwaith yn ystod y blynyddoedd diwethaf y bu'n anfon llythyrau cas neis ataf i?

Annwyl Miss Rhydderch
Tybiais yr hoffech gael gwybod fod eich gor-ddrafft y
bore hwn...bla bla bla...

Y tro diwethaf i mi edrych ar y gyfradd gyfnewid roedd y bunt yn gyfwerth â $1.63 – dyna... £46,000! Bron dwywaith cyflog blwyddyn! Rydw i'n amau y bydd yna fyrdd o bapurau doler gwyrdd yn hedfan a hofran yn dawel yn fy mreuddwydion heno!

Yn y llyfrgell, ceisiais wneud i'r cwestiwn swnio'n ddidaro.

"Ga i ofyn sut y bu Igoris farw?"

Tynnodd Nwgeri ei wynt ato a gwelais ei lygaid ef a llygaid Tambo'n cyfarfod am eiliad.

"Damwain. Fe gafodd ei ladd mewn damwain."

Ond fe ddywedodd hynny'n rhy gyflym.

Mae gen ti dy amheuon rŵan, on'd oes, Mair Rhydderch? Rwyt ti'n gwybod nad ydi Nwgeri wedi bod yn gwbl onest hefo ti. Roedd cyfarfyddiad llygaid y ddau ddyn – er mai eiliad o gyfarfyddiad oedd o – yn siarad cyfrolau. Mi wyddost hefyd y bydd y gwaith yma'n cymryd llawer mwy na'r ddeufis cwta o amser gwyliau sydd gen ti. Ond fe gei di deithio! Fe gei di fynd i Catalunya, i gysgod mynyddoedd y Pirineau. I bentref Calella de Palafrugell, ger y môr. Wyt ti'n cofio lle y clywaist ti'r enw hwnnw o'r blaen? Rwyt ti'n cofio'r pentrefi cyfagos, Llafranc, Tamariu... fe gofiaist! Onid yma, ger gerddi Cap Roig, tra oedd o'n syllu o falconi y Villa Brisa ar harddwch rhyfeddol y traeth yn Cala Golfet, y cafodd Dimitri Pliskinn, yr athronydd o Chechnya, ei gyfres o freuddwydion? Cyfres o freuddwydion a gyhoeddwyd ar ffurf llyfryn yn 1946, ac a ddefnyddiwyd yn helaeth gan athronwyr wedi hynny i geisio dadansoddi'r gwrthbwyntiau mewn perthynas tad a mab.

Fe gei di fynd ar daith i fan'no, Mair Rhydderch. Digon o daith i ddenu dy feddwl oddi ar dy broblemau bychain dy hun. Wyt ti'n barod i anghofio'r rheini? Wyt ti'n fodlon taflu dy hun, gorff ac enaid, i fynd dan groen dieithryn na wyddost ti nemor ddim amdano? Ac mae gen ti dy amheuon am Nwgeri erbyn hyn. Beth fydd trydedd ran dy waith? Ydi'r chwarter miliwn o ddoleri yn swnio'n bitw rŵan wrth ystyried maint y gwaith? Oes gan Nwgeri gymhelliad arall? Wyt ti wedi ystyried y gallai geisio dy hudo i'w wely? Wrth gwrs dy fod ti! Celwydd fyddai i ti ddweud yn wahanol, ac fe wyddost ti cystal â minnau beth ydi'r amheuon sy'n corddi yn dy feddwl di'r munud hwn.

Cofio yr wyt ti am y tro dweutha y teflaist dy amheuon i'r gwynt a syrthio am ddyn diarth. A dw i'n sôn am Rhodri ac NID am Arwyn. Onid dieithryn oedd Rhodri i ti am beth amser hefyd?

Rhodri ddywedais i, Mair!

Nid Arwyn!

Mair?

"Lle 'ti'n mynd â fi?"

Roedd Arwyn yn un o'i mŵds deud 'chydig.

"Bryste!"

"Bryste?"

"I siopa."

"Mae 'na well siopau yng Nghaerdydd."

"Ddim i be dw i isho'i brynu!"

"Baco Morocco?" mentrais ofyn.

Chwerthin wnaeth o.

"Gas gin i deithio, ond ma'r daith yma yn werth chweil – bob tro!"

Wedi cyrraedd Bryste aeth â mi i lawr stryd gefn. Oedodd o flaen drws cadarn a chnociodd. Agorodd ffenestr fechan yn y drws, ac ymhen rhai eiliadau clywais folltiau'n cael eu tynnu a chafodd y ddau ohonom ein tywys ar hyd cyntedd tywyll i ystafell yng nghrombil yr adeilad.

Math o ffatri a welwn i o 'mlaen – o leiaf dyna a ddaeth gyntaf i'm meddwl. Roedd dau fwrdd hir ynghanol yr ystafell a photiau pridd a llestri gwydr yn llawn hylifau a thrwythau yn mygu arnyn nhw. Ar silffoedd ar hyd un ochr yr ystafell roedd cannoedd ar gannoedd o boteli o bob ffurf, lliw a llun. Ym mhen pella'r ystafell safai gwraig ganol oed, a phan gerddodd Arwyn a minnau i'r ystafell trodd i edrych arnom cyn dangos rhes o ddannedd gwynion a gwên gyfeillgar.

"Madam Gallico, dyma Mair."

"Croeso i Ogof Gallico, Mair!" ac estynnodd ei llaw ataf.

Gwenais arni wrth ysgwyd ei llaw. Roedd yna bendantrwydd ymhob un o'i symudiadau. Pob osgo fel petai wedi ei rihyrsio ymlaen llaw, hyd yn oed ei cherddediad. Wedi ysgwyd llaw â mi trodd at Arwyn.

"Does bosib fod y *teonanacatl* wedi gorffen yn barod?"

Ysgydwodd Arwyn ei ben.

"*Amanita Muscaria*, Madam Gallico!"

Roedd llygaid Madam Gallico fel dwy soser. Edrychodd arnaf i'n hir cyn troi, gwenu unwaith eto, a cherdded at ben pella'r silffoedd ac estyn potel o hylif coch. Aeth Arwyn draw ati a dilynais innau. Yn ofalus, a chyda chymorth chwistrell fechan, rhoddodd ddeg diferyn o'r hylif mewn llestr gwydr cyn tywallt mesur helaeth o ddŵr ar ei ben. Gosododd y llestr o dan beiriant hynod debyg i brosesydd bwyd. Gwasgodd fotwm a'i gymysgu'n iawn. Yna tywalltodd y cyfan i botel win wag. Gyda pheiriant corcio oedd ar un o'r byrddau gosododd gorcyn newydd yng ngwddf y botel a rhoi ffoil coch dros y corcyn.

"Gwin gorau Siberia!" meddai wrth Arwyn heb awgrym o wên ar ei hwyneb.

Rhoddodd Arwyn hanner can punt yn ei llaw.

"Beth ar wyneb y ddaear ydi o?" holais Arwyn wrth i ni gerdded yn ôl at y car.

"Gwin gorau Siberia!" efelychodd lais Madam Gallico. "Ffisig!"

Mair! Pa les i ti oedd sgwennu hynna? Fe wn i'n union beth rwyt ti'n ei wneud. Rwyt ti'n dewis sgwennu am Arwyn yn hytrach na sgwennu am Rhodri. Ond rhaid i ti sylweddoli nad ydi ail-fyw yr adegau braf a gest ti yng nghwmni Arwyn yn mynd i garthu Rhodri o'th fywyd di. Y ffordd rwyddaf i ddatrys problem ydi'i hwynebu hi! Ac fe wyddost fod gennyt broblem uffernol o fawr yn corddi yn dy berfedd ynglŷn â Rhodri. Dydi sgubo'r cyfan o dan garped y cof ddim yn ffordd i'w datrys. Ac os nad wyt ti, o'th wirfodd, yn bwriadu ei hwynebu yn ystod y dyddiau nesaf yma, fe fydd yn rhaid i mi dy atgoffa ohoni eto. Ac eto… ac eto… ac eto…

* * *

Mi wn y bydd yr wythnos nesaf yn llawn i'r ymylon.
Rydw i'n nodi rŵan y bydd yn rhaid i mi gofio ffonio Mam
a Doti fore Mawrth. Bore pen blwydd Doti. Fe ga i weddill
y dydd wedyn i weithio. Ac fe weithia i. Fe ofynna i i
Tambo a ga i gyfrifiadur symudol. Bydd hynny'n hwyluso'r
gwaith.

Cyn cysgu heno rydw i'n bwriadu ceisio cynllunio sut
rydw i'n mynd i daclo'r prosiect yma. Rhaid i mi rywsut
fynd o dan groen Igoris. Dod i wybod popeth amdano.
Gweld lluniau ohono. Ei astudio o bob ongl bosib. Ceisio
gweld sut ddyn oedd Igoris – y dehonglwr breuddwydion.
A chyn i mi anghofio, fe fydd yn rhaid i mi drio ffendio
'Breuddwyd Asnoch'.

Fe gymerais i lwyaid o ffisig cyn mynd i gysgu. Y ffisig
a alwai Arwyn yn 'win gorau Siberia'.

DYDD LLUN, AWST 9FED

MAE LLYFRGELL NWGERI'N fy atgoffa o festri Salem
erstalwm. Dwys ddistawrwydd yn teyrnasu ar wahân i
dipiadau cloc hynafol. Rhyfeddol ydi'r unig air i
ddisgrifio'r ystafell. Mae hi siŵr o fod yn drigain troedfedd
wrth ddeugain, a'i hanner yn silffoedd symudol yn cau ar
ei gilydd a'r rheini'n gwegian o dan bwysau llyfrau,
dogfennau a phapurau – y cyfan wedi eu catalogio a'u
croesgyfeirio'n fanwl mewn mynegai ar y prif gyfrifiadur.
Cwpwrdd a dwy efeillddesg gerfiedig ydi'r unig ddodrefn
arall sydd yn yr ystafell.

Mae'r cwpwrdd yn un trwm, gyda dau ddrws bychan
yn cau'r hanner uchaf iddo, a phedwar drôr yn yr hanner
isaf.

Ar y naill ddesg mae cyfrifiadur newydd sbon danlli,
tair silff bren i ddal papurau a dogfennau, pot pren yn
cynnwys pensiliau a beiros a phob peth wedi ei osod yn
daclus ac ei le. Mae'r llall yn wahanol iawn. Ar honno
mae llyfr ysgrifennu nodiadau – a hwnnw'n agored – a
ffownten-pen ddrudfawr a photel o inc ynghyd â
phapurau rif y gwlith wedi eu plastro blithdraphlith, a
hanner dwsin o lyfrau cyfeiriadol – rhai yn agored ac eraill
wedi eu fflagio â thameidiau o bapur oren llachar. Desg
gweithiwr. Rhaid fy mod i wedi syllu'n rhy hir ar yr ail

ddesg. Fe ddaeth Nwgeri a Tambo i'r ystafell yn ddiarwybod i mi.

"Fel 'na y gadawodd Igoris hi cyn iddo farw. Dydw i ddim wedi cyffwrdd mewn dim ers y dydd hwnnw."

"Fe sonioch chi am ddyddiadur Igoris?"

Edrychodd i fyw fy llygaid a syllais innau'n ôl. Rhywle yn nyfnderoedd y llygaid hynny fe welwn boen. Cododd Nwgeri'i olygon ac amneidiodd ar Tambo i'n gadael. Wedi iddo fynd cerddodd Nwgeri at y cwpwrdd. Estynnodd allwedd o'i boced ac agor y drôr uchaf. Ohono tynnodd gyfrol drwchus wedi ei rhwymo mewn lledr du. Gosododd hi ar y ddesg o 'mlaen.

"Dyddiadur Igoris," meddai'n dawel.

Estynnais fy llaw i agor y clawr, ond cyn i mi wneud hynny daeth llaw Nwgeri ar ben fy llaw i. Er i mi ysgwyd llaw â fo pan gyfarfuom wnes i ddim sylweddoli tan rŵan pa mor feddal a chynnes oedd ei groen a'i gyffyrddiad. Gwasgodd ei law ar fy llaw innau ac edrychais arno. Cwestiwn oedd yr edrychiad hwnnw. Cwestiwn tebyg i 'Be ddiawl wyt ti'n 'feddwl wyt ti'n ei wneud?' Wrth ateb fe dynnodd ei law yn araf a thynnu anadl ddofn i'w ysgyfaint yr un pryd.

"Dyma fydd trydedd ran eich gwaith i mi, ac o'm safbwynt i, y rhan bwysicaf. Os llwyddwch chi... os medrwch chi..." craciodd ei lais "Mi dala i unrhyw beth! Unrhyw swm!"

Wyddwn i ddim sut i ymateb iddo. Fy ysfa gyntaf oedd gafael amdano, gwthio'i ben i'm mynwes... ond gafael yn ei law o wnes i a cheisio bod yn gadarn ac awdurdodol a chysurlon.

"Rydw i'n deall bod hyn yn anodd i chi, Nwgeri... fedra i ddim ond dychmygu sut beth ydi colli plentyn..."

Gwenodd a nodio'i ben. Cododd y gyfrol a'i hestyn i mi.

"Nid dyddiadur cyffredin mohono, Madam Mair. Rhyw fath o ddyddiadur taith ydi o."

"Dyddiadur taith?"

"Dyddiadur taith i fyd breuddwydion. Breuddwydion Igoris. Ers peth amser… ers blynyddoedd a dweud y gwir, roedd o wedi bod yn cofnodi ei freuddwydion – yn fanwl. A does yna neb, neb arall ond y chi a fi i wybod mai rhan o'ch dyletswyddau chi fydd darllen dyddiadur Igoris a dehongli ei freuddwydion i mi."

"Tambo?"

"Yn sicr nid Tambo. Mae yna ddwy allwedd i'r cwpwrdd yma. Mi fydda i'n cadw un ac fe gewch chi'r llall. Fe gewch chi neilltuo awr olaf astudiaeth pob dydd i ddarllen a gwneud nodiadau ar freuddwydion Igoris. Mae'r nodiadau i'w cadw dan glo yn nrôr y cwpwrdd hefo'r dyddiadur. Wedi swpera bob nos fe fyddwch chi a minnau yn dod yma am sgwrs. Ac fe ga i adroddiad dyddiol gennych chi ar eich ymchwil."

"Ga i edrych ar y dyddiadur rŵan?"

Nodiodd. Agorais innau glawr y gyfrol. Y tu mewn roedd dyfyniad.

> 'Seanchan
> …when I and these are dead
> We should be carried to some windy hill
> To lie there with uncovered face awhile
> That mankind and that leper there may know
> Dead faces laugh.
> King! King! Dead faces laugh.'

Roedd o'n swnio fel dyfyniad o un o ddramâu Shakespeare ond doeddwn i ddim yn sicr...

"Agorwch y llyfr yn rhywle, Madam Mair, a darllenwch y cofnod cyntaf a welwch chi."

Agorais y llyfr. Roedd gan Igoris ysgrifen daclus. Darllenais yn uchel.

"Roedd yno enfys i'w defnyddio'n bont, ond gwn yn iawn mai o dani yr af i. Bydd cerdded drosti'n golygu cwymp – a chaf fy lladd."

"A'ch dehongliad?"

Diolch i'r nefoedd fy mod i wedi fy mendithio hefo cof da. Roedd ateb ei gwestiwn yn gymharol hawdd.

"Yn ôl hen chwedlau, dim ond duwiau fedr gerdded pont o liwiau'n saff. Byddai meidrolion yn syrthio oddi arni a chael eu lladd. Rhith yn rhychwantu'r wybren ydi enfys nid traffordd i eneidiau o gig a gwaed. Rhaid i bob meidrolyn gerdded o dani a cherdded y ffordd rwyddaf i'r man isaf posib."

"Ewch ymlaen..."

Roedd gen i gwestiwn.

"Oedd Igoris yn wynebu... tasg anodd pan gafodd o'r freuddwyd hon?"

Roeddwn i wedi dewis y ddeuair 'tasg anodd' yn fwriadol. 'Argyfwng' oedd y gair cyntaf a ddaeth i'm meddwl.

"Pam 'dach chi'n gofyn?" Fe ofynnodd hynny yn siarp.

"Pan fydd unrhyw un yn wynebu anhawster, mae'i freuddwydion fel arfer yn cynnwys elfennau fel dŵr, neu halen, neu dân. Ac fe fydd o'n uniaethu'i hun ag un o'r rhain. Yn y freuddwyd yma roedd Igoris yn uniaethu'i hun â dŵr – sef dŵr afon yn llifo o dan y bont. Mae dŵr sy'n llifo wastad yn ffendio'r ffordd rwyddaf o gyrraedd y mannau isaf..."

Gwenodd Nwgeri, codi ei aeliau, a dal ei ddwy law tuag ataf. Cais i mi gau'r llyfr a'i ddychwelyd i'w ddwylo. Fe wnes hynny.

Rhoddodd Nwgeri'r llyfr yn ôl yn y cwpwrdd a'i gloi. Daeth ataf, gafael yn fy llaw dde a'i chodi at ei wefusau. Cusanodd fy mysedd yn ysgafn a chyda gwên dywedodd, "Rydw i'n meddwl i mi ddewis yn ddoeth wrth eich dewis chi, Madam Mair."

Fedri di ddim peidio â hoffi Nwgeri yn na fedri, Mair Rhydderch? Mae o'n dy atgoffa di o Arwyn, yn tydi? O mae o'n hŷn, yn dewach, yn llawer cyfoethocach, ond mae 'na rywbeth yn y llygaid duon yna sy'n dy atgoffa di o Arwyn. Dyna pam rwyt ti'n amau rhyw fymryn bach ei fod o'n dy ffansïo di. Dyna pam rwyt ti wedi ceisio osgoi gwenu gormod wrth edrych arno – dwyt ti ddim yn gwbl gyffyrddus yn ei gwmni eto, ond fe wyddost dy fod ti wedi bod yn gwneud y pethau bychain... fe fuost ti'n cyrlio ochr dy wefus ac yn edrych dan dy 'sgafell arno, fe fuost ti'n chwerthin hefo dy lygaid, a phan gusanodd o dy law di, fe ddeliaist ti'r mymryn bach yna'n rhy hir, a gwthio yn ei erbyn fel roedd o'n dychwelyd dy law i ti. Dw i'n gwybod na ddywedaist ti ddim byd wrtho fo – dim gair – ond roedd y pethau bychain yna yn siarad cyfrolau. A thithau yn ôl mewn amser, yn defnyddio'r un triciau i rwydo Arwyn.

Efallai i mi fod braidd yn fyrbwyll hefo ti'r tro diwethaf, Mair. Efallai nad oeddwn i wedi sylweddoli bod yn rhaid i ti garthu Arwyn o'th gyfansoddiad cyn symud ymlaen at Rhodri...

Rydw i'n cofio'r noson gyntaf un y bûm i'n cydgymryd cyffuriau ag Arwyn.

"Amser ffisig."

"Be ydi o?"

"*Amanita Muscaria*. Gwenwyn yn ei ffurf buraf ond mae hwn wedi ei lastwreiddio..."

"Cyffur?"

"Madarch! Eto fyth!"

"Be wyt ti'n ei wneud i ti dy hun, dywed?"

"I chdi mae hwn!"

"Y fi!"

"Bwyd y duwiau yn ôl yr hen Geltiaid! Gwatsha di be fyddi di'n sgwennu ar ôl ca'l dafn o hwn!"

"Dw i erioed wedi cymryd cyffuriau. A dydw i ddim yn bwriadu dechrau rŵan."

"Mi fyddai'r Llychlynwyr yn cnoi'r madarch yma yn amrwd cyn brwydro. Dim byd gwell i gynhyrchu myll cwffio! Ac yn ôl un sgolar, cwlt y madarch yma ydi gwreiddiau Cristnogaeth hefyd!"

Oedd, roedd gan Arwyn y ddawn ryfeddol i berswadio, a'r noson honno, wedi iddo roi llyfr i mi i'w ddarllen am effaith y madarch ar y corff a'r meddwl dynol, fe ges i fy nos cyntaf o'r ffisig *Amanita Muscaria*. Fe fuon ni'n cydgymuno. Pan ddechreuodd y cyffur gael effaith arnaf i, isho chwerthin roeddwn i. O leiaf dyna rydw i'n ei gofio. Teimlo fel merch fach newydd wneud drygioni. Aros i weld beth fyddai'r canlyniadau a theimlo mor hapus. Yn union fel petai'r *Amanita Muscaria* yn canolbwyntio ar y cyfan oedd yn dda rhwng Arwyn a minnau, ac yn ei chwyddo y tu hwnt i bob amgyffred. Ac roedd Arwyn wedi fy rhybuddio i ganolbwyntio'n unig ar y pethau da – byddai'r canlyniadau yn gwbl wahanol pe bawn yn hel meddyliau negyddol – fel y Llychlynwyr gynt!

Fe ddaeth yr *Amanita* yn arferiad os nad, yn wir, yn

ffordd o fyw. Yn y cyfnodau dan ei ddylanwad yr oedden ni'n dod i adnabod ein gilydd yn iawn. Dweud a rhannu ein cyfrinachau dyfnion a duon. A dyma gyfnod euraid ein caru.

A dyma'r cyfnod hefyd y dechreuais i gymryd diddordeb gwirioneddol yn ei waith o, ac yntau yn fy ysgrifennu innau.

Mae yna un noson yn fyw iawn yn fy nghof. Roeddwn i'n cwblhau darlith ar y tebygrwydd sydd yna rhwng rhai o straeon gwerin Cymru a straeon Gwyddelig, ac Arwyn, yn ôl ei arfer, wedi gadael ei waith ei hun ac yn llarpio fy nodiadau i i'w gyfansoddiad. Yn sydyn roedd yna ddagrau yn cronni yn ei lygaid.

"Be sy?"

"Pam na fuaswn i wedi cael fy ngeni ddeng mlynedd yn hwyrach?"

"Arwyn!" Amau roeddwn i fod yna bregeth arall am fwlch oedran yn cychwyn, ac roedd yna gerydd yn fy llais.

"Mae gennyn ni gymaint i'w rannu hefo'n gilydd…"

Mi geisiais innau newid cyfeiriad y sgwrs.

"Ar be w't ti'n gweithio?"

Yr eiliad nesaf roedd Arwyn yn canu ar dop ei lais:

" 'Mi dafla' 'maich oddi ar fy ngwar
Wrth deimlo dwyfol loes;
Euogrwydd fel mynyddau'r byd,
Dry yn ganu wrth dy groes…' "

"Arwyn!"

"Canu'r gwreiddiol yli! Dim fersiwn pwyllgor sydd wedi mynd ati'n fwriadol i fwrdro iaith yr hen Bant!"

"Be ti'n 'feddwl?"

Ond atebodd o mo 'nghwestiwn i.

"Y garwriaeth fwyaf erioed yn hanas llenyddiaeth

Gymraeg. Dyna maes fy astudiaeth i yr wythnosau hyn!"

"Williams Pantycelyn?"

"Y fo a'i Waredwr! 'Sgynnon ni ddim syniad!"

"Be am Ann Griffiths? Neu be amdanat ti a fi?"

Chwerthin wnaeth o a chodi'i fys at ei drwyn a tharo'i ochr yn ysgafn.

"Pa'r un wyt ti'n 'gofio?"

"Be?"

"Emyn. Ty'd o'na! Mae pawb o'n cenhedlaeth freintiedig ni yn gwybod geiriau dwsinau o emynau. Uffar otsh os w't ti'n 'u dallt nhw, o leiaf ti'n 'u gw'bod nhw! Mi gawson ni'n codi yn genhedlaeth o boliparots crefyddol – gwybod y geiriau heb adnabod y Gair!"

Roeddwn i'n amau bod y ffisig yn dechrau cael gafael arno fo oherwydd, yn sydyn, fe ddechreuodd o ganu go iawn. Nid rhyw smalio canu y tro yma, ond canu o ddifri. Fe newidiodd o'n llwyr. Fe ddaeth yna olwg bell i'w lygaid o fel petai o'n cofio rhywbeth poenus. Rhywbeth uffernol o boenus. Ac yn ei lais tenor hyfryd fe ddechreuodd ganu:

" 'Esgyn gyda'r lluoedd fry i fynydd Duw

Tynnu tua'r nefoedd – bywyd f'enaid yw...' "

Rydw i'n cofio meddwl mai o dan effaith y cyffur yr oedd o, ond na, fe wyddwn i rywsut fod hyn yn wahanol. Pam tybed? Ai am fy mod innau newydd yfed dogn ohono?

" '...Pan fwyf ar ddiffygio, gweld y ffordd yn faith

Duw sydd wedi addo cymorth ar y daith...' "

Doeddwn i erioed wedi ei weld fel hyn o'r blaen. Roedd y dagrau'n dechrau llifo a'r geiriau'n dod o'i wefusau yn floesg ac aneglur. Ond roedd yr hyn a ddywedodd o cyn hynny yn berffaith gywir. Roeddwn i'n cofio'r geiriau.

" 'Wedi'r holl dreialon, wedi cario'r dydd

Cwrdd ar fynydd Seion, o mor felys fydd!' "

Pan ddaeth i ben, roedd ei holl gorff yn ysgwyd i gyd, ac yntau'n ubain fel plentyn bychan. Fe es i ato a rhoi 'mraich am ei ysgwydd o, a'i gofleidio'n dynn.

Yn ddiweddarach eglurodd wrtha i.

"Fe ganon nhw'r emyn yna yn angladd 'Nhad. Wnes i erioed feddwl am y geiriau – er 'mod i wedi'u canu nhw droeon – tan y diwrnod hwnnw. A dyna pryd y dechreuais i astudio emynau o ddifri – meddylia, deg ar hugian oed, wedi canu miloedd o blydi emynau a 'rioed wedi meddwl y tu hwnt i'r geiriau! Dafydd Charles, Elfed, a'r Hen Bant."

"A beth sydd wedi dy symbylu di i'w hastudio nhw rŵan? Roeddwn i'n meddwl mai paratoi papur ar ddehongli breuddwydion roeddat ti?"

"Mae llenyddiaeth a breuddwydion yn mynd law yn llaw. Mae'r rhan fwyaf o'n hemynau gorau yn ddrych o freuddwydion. Fe elli di gymryd thema unrhyw un ohonyn nhw, unrhyw un dallta, ac mae damcaniaethau Jung a Freud a Goethe yn neidio allan atat ti!"

A dyna a daniodd fy nychymyg a 'niddordeb innau. Fe dreulion ni oriau os nad dyddiau yn dadansoddi, yn rhestru ac yn dadelfennu emynau, ac ynghanol yr holl waith yma y dois i'n ymwybodol fod yna ochr ysbrydol ddofn iawn i Arwyn. O dan mwgwd y clown arwynebol yr oedd yna ddyfnder. Ond roedd yna dristwch hefyd. Byddai byth a hefyd yn cyfeirio at y bwlch yn ein hoedran, ac yn dweud y byddai'n rhaid i mi, ryw ddydd, wynebu bod yn weddw ifanc...

"Pan fydda i'n mynd o dan y dywarchen fe fyddwch chi i gyd yn canu emyn mwya'r iaith Gymraeg," meddai.

" 'Mi dafla' 'maich oddi ar fy ngwar
Wrth deimlo dwyfol loes;

Euogrwydd fel mynyddau'r byd
Dry yn ganu wrth dy groes.'
"A'r geiriau yna dallta! Nid geiriau pwyllgorau!"
Dyna'r ail dro iddo ddweud hynny wrtha i.
"Be w't i'n ei feddwl?
"Iaith bob dydd oedd iaith yr hen Bant. Ond fe benderfynodd rhywun yn ei ddoethineb bod angen ei moderneiddio a dyna ydi'r fersiynau a ddysgwyd i ni."
Aeth i'w gwpwrdd gwydr ac estyn bwndel o hen lyfrau. Agorodd un a'i godi at ei drwyn. Aroglodd.
"Ma' oglau Williams ar hon! Ail argraffiad 1744 Caerfyrddin o'r 'Aleluja'; un arall o Fryste 1745; 'Hosanna i Fab Dafydd' 1751, a hwn, 'Gloria in Excelsis', argraffiad Llanymddyfri 1771 – fa'ma ma'r iaith ar ei phuraf! Ac o'r llyfrau yma y byddi di'n codi emynau fy ngh'nebrwng i! Mae 'na wyth cant a hannar i ti ddewis ohonyn nhw!"
"Wnest ti erioed ddweud wrtha i dy fod ti'n Gristion o argyhoeddiad?"
"Cyrchu at y nod hwnnw rydw i!"
"Heb gyrraedd ato eto?"
"Mi ddo i! A thithau hefyd! 'Fe sugna f'enaid innau'n lân i'w fynwes yn y man.' "
"O! Mae hwfyr y Gwaredwr yn hofran uwch dy ben di felly!"
Ychydig a wyddwn i wrth wamalu felly y byddwn i ymhen cwta ddwy flynedd wedyn yn chwilota yn yr hen gwpwrdd gwydr am yr union lyfr hwnnw. Chwilio amdano i gadw f'addewid i Arwyn, ac yntau'n gorwedd yn ei arch...
Ac rwyt ti'n cofio'n union be wnest ti on'd wyt? Fe estynnaist y llyfr, ei godi at dy drwyn a'i arogli. Yna fe edrychaist ar y gweinidog a dweud,
"Mi fyddai Arwyn yn deud fod oglau yr hen Bant ar

y llyfr yma!"

Ac fe anfonaist ti broflen y daflen angladdol yn ôl at yr argraffwyr ddwy waith...

Wyt ti'n cofio be wnest ti pan ddaeth hi'n ôl y tro cyntaf? Wedi cymharu'r fersiynau a sylweddoli nad oedd yr argraffydd wedi cymryd sylw o'th ddymuniad di, wyt ti'n cofio eistedd yn ôl yn dy gadair? Tithau ers deuddydd yn methu cael y glec arswydus yna o'th ben. Roeddat ti'n dal i weld car Arwyn yn igamogamu yn haul y gwanwyn... y marciau rhwber yn anelu'n syth am y goeden. Roeddat ti'n dychmygu'r olwg ar wyneb Arwyn wrth iddo sylweddoli bod yr anochel ar fin digwydd, yna'r glec. Asennau Arwyn yn chwilfriwio'r llyw, ei ben yn malu'r winsgrin a'r winsgrin yn chwalu'i benglog. Bu farw ar amrant yn ôl y doctor. Cyn i'r darnau gwydr cochion olaf daro'r llawr roedd Arwyn mor farw â'r hoel ac, ar ei enau ewynfriw, waed. A thithau'n dal i glywed tincial y picellau gwydr wrth gofio darn o gerdd:

> 'Daeth adnabod i ben yn y deugain llath hyn
> Ar ddiwrnod o haul gwanwyn.
> Dieithriwyd Arwyn gan angau.'

Ac fel pe baet am glywed tincial y gwydr unwaith yn rhagor, fe deflaist yr 'Aleluja' at ddrws agored y cwpwrdd llyfrau, chwalu'r chwarel yn chwilfriw a'th adael dithau yn dy gadair yn lwmp llipa, a môr o wydr rownd dy draed...

Rŵan, Mair. Anghofia Arwyn! Canolbwyntia ar garthu Rhodri o'th gyfansoddiad. Dw i'n gwybod dy fod ti'n cael pleser o gofio ac ailgofio am Arwyn, ond cofia be sgwennaist ti yn dy nofel? Wyt ti'n cofio edrych arnat ti dy hun yn y drych yn hwyr un noson ac yn ysgrifennu'r geiriau... 'Rŵan, roedd hi'n unig. Doedd dim ond dylni dilewyrch yn y llygaid brown. Dylni a thristwch. Tristwch a ddaeth yn sgil sylweddoli bod unrhyw obaith wedi diflannu. Tristwch o wybod fod yr angladd drosodd ac y byddai yfory, a phob yfory arall, yn ddim namyn twll du ac unig.' Ond hyd yn oed wrth ysgrifennu hynny roeddat ti wedi cyfarfod Rhodri, ac yn gweld rhywfaint o lewyrch golau yn dy fywyd. Y nofel yna oedd dy gatharsis di. Mae pawb yn gwybod hynna.

* * *

Yn y llyfrgell y bûm i weddill y dydd, gyda Tambo yno'n cadw cwmpeini i mi ac i ateb unrhyw gwestiwn oedd gen i. Yn gyntaf fe ddangosodd gasgliad Nwgeri o luniau'r teulu i mi, y cyfan wedi eu cadw'n drefnus a thaclus mewn rhes o albwmau drudfawr. Yn naturiol roedd gen i fil a mwy o gwestiynau, ac fe geisiodd Tambo eu hateb fel y gofynnwn i nhw.

"Gwraig Nwgeri?" Gofynnais wrth weld Igoris yn faban yng nghôl menyw.

"Mam Igoris," atebodd yn gynnil.

"Ydi hi'n dal yn fyw?"

"Bu farw pan oedd Igoris yn dair oed."

Mae'n ymddangos nad ydi o'n dweud popeth wrtha i, neu efallai nad ydi o i fod i ddweud popeth wrtha i.

Erbyn amser cinio roedd gen i ddeg tudalen o nodiadau ac roeddwn i o leiaf yn gwybod ymhle'r oedd popeth yn y llyfrgell. Un peth da am Igoris oedd ei system ffeilio. Roedd y cyfan yn daclus ac mewn trefn. Byddai hynny'n gwneud fy ngwaith i'n haws.

Wn i ddim a oedd Tambo wedi cael gorchymyn i aros hefo fi trwy'r amser, ond roedd ei bresenoldeb ar brydiau yn niwsans. Nid am ei fod yn ymyrryd os nad oeddwn i'n gofyn rhywbeth iddo, ond am ei fod o yno fel rhyw athro yn gwarchod plentyn dan arholiad.

Fe'm cefais fy hun yn synfyfyrio wrth edrych ar luniau o Igoris yn blentyn. Yr un ydi lluniau plant gwreng a bonedd. Yr unig wahaniaeth ydi pris eu teganau. A pho fwyaf yr edrychwn ar y lluniau, po fwyaf y gwelwn Doti ac Arwyn ac nid Igoris a Nwgeri. Doti hefo Arwyn mewn pwll nofio, nid Igoris yn y môr hefo Nwgeri. Doti hefo Arwyn yn mwytho ci bach, nid Igoris yn gwasgu mochyn bach aflonydd. Doti hefo Arwyn a'i ddoliau clwt yn yr ardd, nid Igoris hefo'i dractor batri ar y lawnt... Doti ac Arwyn, nid Igoris a Nwgeri.

Gad lonydd i Arwyn, Mair Rhydderch! Tro dy feddwl at Rhodri!

Pan agorais i ddrws yr apartment yn Corfu roedd o yno, hefo swp o flodau a gwên ryfedd ar ei wyneb o.

"Ga i fynd â chi'ch dwy am swpar?"

Be fedrwn i ei ddweud? Dim ond cyfle i wenu ges i ac roedd Doti wedi rhuthro heibio i mi, wedi gweiddi, "Lhodli!", ac wedi cael ei sgubo i gôl ei ffrind newydd.

Oherwydd oedran Doti cawsom bryd cynnar, ac roeddem yn ein holau ar falconi fy apartment erbyn hanner awr wedi wyth a Doti'n cysgu'n braf yn ei 'stafell. Aeth un botel win yn ddwy ac, ar fy ngwaethaf, roeddwn i'n cael fy nenu i adrodd tipyn go lew o'm hanes wrth Rhodri. Fe gafodd wybod am Arwyn, ac am y ddamwain car pan oedd Doti ond yn dair oed. Do, fe gafodd glywed yr hunllef honno air am air.

Dyna dy ddrwg di, Mair Rhydderch! Rwyt ti'n rhy barod

i rannu heb weld y tu hwnt i'r rhannu hwnnw. O, fe wn i mai ceisio gweld yr ochr orau i bawb rwyt ti, cau dy lygaid i fân feiau a brychau, ond fe ddylai dy ben reoli dy weithredoedd weithiau ac nid dy galon.

Ac fe ddywedodd yntau dipyn amdano'i hun. Cynnyrch methedig y Coleg Normal. Cafodd ei daflu allan o'r Coleg ar ôl blwyddyn. Bu'n labro yn Llundain a Birmingham cyn dychwelyd i Sir Gaerfyrddin. Plentyn amddifad erbyn hyn, ond fod ei fam wedi dweud wrtho erioed mai bod yn hen lanc fyddai ei dynged, ac roedd hi'n ymddangos bod ei phroffwydoliaeth yn dod yn wir! Wnaeth o ddim celu'r ffaith iddo unwaith fod mewn helynt go ddifrifol. Bu ond y dim iddo gael carchar am daro person mewn tafarn.

"A'th hi'n ffrî-ffor-ôl! Ma' gen i yffach o dempar, so lwc owt!" meddai fo.

Ond roedd o'n ôl rŵan yn Sir Gaerfyrddin ers pum mlynedd a byddai'n dod dramor ar wyliau am fis ar y tro – mis Awst ar ei hyd – bob blwyddyn.

Wn i ddim pam y gadewais iddo fo fy nghusanu i'r noson honno. Efallai oherwydd y gwin. Efallai oherwydd nad oeddwn i wedi cael perthynas hefo'r un dyn ers marw Arwyn. Efallai oherwydd fod Doti ac yntau yn cystal ffrindiau. Efallai oherwydd fy mod i ymhell bell o Gymru a dim peryg cael copsan. Hefo fi, a fi yn unig y byddai'r euogrwydd yn aros. Ond rydw i'n cofio teimlo ar y pryd fel pe bawn i'n anffyddlon.

Y munud y cyffyrddodd ei wefusau o â'th wefusau di roeddat ti'n ôl yn y bàth, Mair Rhydderch. Dyna pam roeddat ti'n gwthio dy gorff yn erbyn ei gorff yntau. Dyna pam roeddat ti'n gwasgu'r mymryn hwnnw yn fwy nag y dyliet ti wrth afael rownd ei wddw a'i dynnu atat, a'i ddwylo yntau'n datod zip dy ffrog a'i fysedd yn crwydro'n rhydd a mwytho dy fronnau a gwasgu dy dethau – eu rhowlio rhwng ei fys a'i fawd. Ac efallai, dim ond efallai, mai chwarae hefo fo roeddat ti pan stopiaist ti yn sydyn, ei wthio oddi wrthyt a dweud "Na!" Ond roeddat ti'n dal i wenu arno fo wedi i ti gau dy ffrog, ac fe gafodd o sws hir cyn gadael. Sws wela-i-di-'fory-ac-os-chwaraei-di-dy-gardiau'n-iawn-mêt…

Ac fe chwaraeodd ei gardiau'n iawn – o do! Mis union wedi i ni ddychwelyd o'n gwyliau fe gafodd Rhodri waith labro ar ffordd amgylchynol newydd Dulyn ac fe symudodd i mewn ataf i a Doti. Byddai'n gadael gyda'r cwch olaf o Gaergybi fore Sul ac yn dychwelyd ar nos Iau. Ac am fisoedd lawer dyna fuo'r drefn. Y tri ohonon ni'n hapus a dim cwmwl ar y gorwel. Ac roedd yna amrywiaeth a newydd-deb yn ein caru hefyd.

Dechreuodd hynny y nos Iau gyntaf honno y cyrhaeddodd o adre o Ddulyn. Fedrai'r un ohonon ni aros i Doti fynd i'w gwely a chysgu. Ac fe fu'n rhaid i mi ei geryddu fwy nag unwaith am y pethau a wnâi i mi yng ngŵydd Doti!

"Be 'di'r olwg ryfadd 'na?"

"Be ti'n 'feddwl?"

"Pan godais i 'mhen rŵan a'th weld ti'n sbio arnaf i, roeddwn 'na olwg fel hen gi arnat ti!"

"Be?"

"Hen gi!"

"Minnau'n meddwl mai paredio dy hun yn fwriadol oeddach chdi. Disgwyl i'r hen gi cyntaf sbio arnat ti!"

Pan gysgodd Doti o'r diwedd fe ddaeth Rhodri o'r tu ôl i mi a chlymu llinyn ei byjamas am fy ngwddw, a hefo gwên fawr ar ei wyneb dywedodd, "Ma'r hen gi am fynd â'r ast fach i'w gwely!"

Ac yn g'lanna chwerthin fe'm tywysodd ar fy mhedwar i'r ystafell wely. Ac fe ddaeth hyn yn amrywiaeth reolaidd ar ein caru cyn noswylio. Roedd o'n gwlwm rhwng ein presennol a'n gorffennol ac, yn ddieithriad, pan fyddem ar y gwely yn sownd fel dau gi, fe fyddem yn cael ffit o gigls. Ac fe ddatblygodd y jôc. Un noson fe ges i sioc fy mywyd. Aeth Rhodri i'r wardrob ac estyn coler a thennyn newydd sbon.

"Wff! Wff!"

Fe wnest ti blwc da o waith heddiw, Mair. Ond mae gen ti lu o gwestiynau i'w gofyn i Nwgeri, a dwyt ti ddim yn siŵr iawn sut i'w gofyn. Dim ond am yfory y byddi di yma eto a byddi'n hedfan gyda Nwgeri a Tambo i Girona. Fe wyddost hefyd, erbyn hyn, y cei di noson yn Barcelona, ac mae'r cyfan yma'n chwyrlïo yn dy ben di. Pam mynd i Calella de Palafrugell? A Barcelona? Beth sydd yn y ddau le yna sydd yn mynd i daflu goleuni ar waith a bywyd Igoris? Rhagor o gwestiynau i ti i'w gofyn i Nwgeri.

* * *

Mae yna nerth yn nhasgiad y dŵr sydd yn y gawod. Nid diferu oddi uchod yn unig y mae, ond saethu'n bicellau blaenllym oddi uchod, o'r ochr, o'r tu cefn a'r tu blaen nes gadael fy nghorff yn un lwmp o binnau bach. Mae'n deimlad mor braf. Fe orweddais ar fy ngwely a chysgu am bron i awr cyn mynd i lawr am swper. Wedi agor drws fy nghwpwrdd dillad y trawodd o fi mai dim ond tair ffrog roeddwn i wedi dod hefo fi – nos Lun, nos Fawrth, nos Fercher…! Ond be 'di'r ots? Yma i weithio rydw i!

Dim ond cyllyll a ffyrc i ddau oedd ar y bwrdd, a bwrdd

cymharol fychan oedd o wedi ei osod y tu mewn i ddrysau agored y patio. Tambo oedd yn gweini.

"Mae gan Tambo'r ddawn o greu *paella* ardderchog – ydych chi'n hoffi *paella*?"

Roedd yna flynyddoedd er pan gefais i *paella* ond roedd gen i gof ei fod yn gymysgedd o reis, cyw iâr, llysiau a physgod.

"Mi fydd *paella* yn ardderchog!"

Roedd gwên Tambo'n dweud y cyfan.

"Ond nid unrhyw *paella*, Madam Mair! *Paella de mariscos*! Pryd sy'n hanu o Valencia – cartref ysbrydol Tambo... roedd Tambo'n gweini yno am flynyddoedd yn nhŷ un o'r uchelwyr cyn i mi ei ddarbwyllo i ddod adre ataf i!"

Gwenodd Tambo drachefn.

Fe wyddwn i mai mater o amser fyddai hi cyn i'r sgwrs a'r mân siarad droi i gyfeiriad fy ngwaith, ond y daith i Calella de Palafrugell oedd yn llenwi sgwrs Nwgeri cyn i'r *paella* gyrraedd.

"Wrth gwrs, fe fyddwch chi angen dillad ychwanegol efallai..." Aeth i boced ei gôt ac estyn amlen drwchus. Fe'i gosododd yn ddidaro o fy mlaen. "Mae yna ychydig o arian a cherdyn credyd i chi brynu unrhyw fanion. Mae hynny'n cynnwys dillad – rydw i'n ymwybodol nad oedd hi'n bosib i chi ddod â llawer hefo chi..."

Doedd o ddim yn dweud hynny mewn unrhyw ffordd fostfawr, ond mewn rhyw ffordd ffwrdd-â-hi. Fel petai o'n gwybod nad oedd gen i ond tair ffrog!

Pan gyrhaeddodd y *paella* teyrnasodd distawrwydd am ychydig wedi i mi ynganu brawddeg neu ddwy ganmoliaethus. Yna penderfynais fwrw i'r dwfn.

"Fe ddywedoch chi mai damwain a gafodd Igoris?"

Nodiodd yn dawel.

"Yma? Yn Achlasaam?"

"Calella de Palafrugell. Ar drofa ger y Cap Roig..."

"Cap Roig!" Saethodd y geiriau dros fy ngwefusau cyn i mi sylweddoli 'mod i wedi gweiddi'r ddeuair bron yn ei wyneb.

Clodd ein llygaid am ennyd a pheidiodd y cnoi, y ddau ohonom ar amrant wedi sylweddoli a threulio'r hyn oedd ym meddwl y llall. Roeddwn i eisiau i'r ddaear fy llyncu, yn gweddio y buasai Nwgeri yn edrych ymaith, yn cael ffit, yn torri i lawr, yn gwneud unrhyw beth ond dal i edrych arnaf i hefo'r llygaid yna. Ac y fo a dorrodd y garw.

"Rydach chi'n sylweddoli arwyddocâd y lle?"

Nodiais.

"Dimitri Pliskinn? Cyd-berthynas tad a mab o fewn breuddwydion." Doedd yna ddim pwrpas pellach i mi beidio â dechrau ei holi. "Sut berthynas oedd rhyngoch chi ac Igoris?"

"Pam ydach chi'n gofyn hynny?"

"Rydw i'n cael y teimlad fod yna bellter rhyngoch chi..."

"Nid pellter, Madam Mair... ond ar brydiau roedd pethau'n stormus."

"Ac mae yna euogrwydd...?"

"Onid oes yna euogrwydd yn perthyn i bob marwolaeth?"

Roedd y llygaid yna'n treiddio i 'mherfedd i eto. Fel petai o'n gwybod rhywbeth amdanaf i ac Arwyn... neu Rhodri...

"Maddeuwch i mi, Madam Mair, fe wn i eich bod chithau wedi bod trwy brofedigaeth... ddyliwn i ddim fod wedi ceisio osgoi ateb eich cwestiwn."

Gwenais arno'n wan.

"Fe fûm i'n paratoi Igoris i fod yn bennaeth Nacca

Culaam er pan oedd o'n blentyn. Fe gafodd ei drwytho yn nhraddodiad ei bobl, fe gafodd yr addysg orau posib – ym Mhrydain, Ffrainc ac America. Roedd o'n hogyn deallus – llawer mwy deallus nag ydw i – ac roedd ganddo syniadau, syniadau... syniadau gwahanol i mi am ddyfodol Nacca Culaam."

"A'r syniadau hynny'n deillio o'i arbenigedd ar ddehongli breuddwydion?"

Ochneidiodd.

"Rydych chi'n wraig ddeallus, Madam Mair."

"Dod i gasgliad rhesymegol wnes i..."

"Mae Chwedl Asnoch y Mochyn yn ganolog i'n traddodiad ni fel pobl, ac mae presenoldeb a dylanwad Dyn Hysbys y llwyth yn mynd yn ôl ganrifoedd... roedd Igoris o'r farn fod y Chwedl a'r Dyn Hysbys yn atal ein pobl nid yn unig rhag datblygu ond hefyd rhag cael ein derbyn gan gymuned y cenhedloedd."

"Roedd o o'r farn fod rhaid torri'r llinyn cyswllt â'r gorffennol?" Am ennyd ofnais fy mod wedi mentro'n rhy bell.

"I Igoris, fi oedd y llinyn cyswllt â'r gorffennol, ac oherwydd hynny..."

"Ond..."

"...oherwydd hynny, roeddwn i'n amau ei fod yn fy nghasáu."

Ac fel petai baich trwm wedi ei daflu oddi ar ei war, gollyngodd ei ben a syllu'n hir ar ei blât bwyd. Ond fe wyddwn i fod ganddo fwy na hynny i'w ddweud, a wyddwn i ddim yn iawn sut i symud y sgwrs yn ei blaen. O'r diwedd cododd ei ben, edrychodd yn hir arnaf cyn gosod ei gyllell a'i fforc ar ei blât ac estyn ei ddwylo i gwpanu fy nwylo innau.

"Madam Mair, mae 'na bobl o fewn Nacca Culaam sy'n fy meio i am farwolaeth Igoris. Fy ngobaith i yw y bydd cyhoeddi'r llyfr yma yn dweud y gwir wrthyn nhw."

"A faint o hyn ga i ei ddweud rhwng cloriau'r llyfr?"

"Mi fydd hynny i'w benderfynu eto."

Fedri di ddim gwadu nad aeth yna ias drwyddat ti pan afaelodd o yn dy ddwylo. Er dy fod ti'n amau ei fod yn dal rhywbeth yn ôl, eto roedd yna ryw angerdd a gwirionedd yn perthyn i'w eiriau. Mae o fel petai yn chwilio'n ddwfn ynddo fo'i hun am reswm dros farwolaeth Igoris.

* * *

Ni fu'r sesiwn cyntaf o ddarllen dyddiadur breuddwydion Igoris yn un hir er bod Nwgeri'n ymddangos ar dân eisiau dehongli'r breuddwydion hynny. Ond roedd ganddo ei agenda ei hun, roedd hynny'n gwbl amlwg. Y fo a estynnodd y dyddiadur i mi ac, wedi ei roi yn fy nwylo, a fynnodd ein bod yn dechrau ar Awst 19eg y flwyddyn cynt.

"Chwe diwrnod cyn i Igoris farw," eglurodd.

"Oes yna reswm penodol dros ddechrau yn fan'no?" holais innau wrth droi tudalennau'r dyddiadur.

"Dyna'r diwrnod y dychwelodd o America. Dyna'r diwrnod y bu'n dadlau'n daer hefo fi am ei weledigaeth a'r ffordd ymlaen i Nacca Culaam..."

Troes Nwgeri a phwyntio at hen ddarlun oedd ar y wal y tu ôl i mi. "Dyna'i anrheg i mi o Boston y tro hwnnw. Wyddoch chi be ydi o?"

Doedd gen i ddim syniad, ond fe wyddwn o edrych arno ei fod yn Ffrengig ac yn baentiad cynnar. Yn y cefndir roedd yna gastell a gwinllan neu berllan yn sownd iddo.

Ger y berllan safai cenfaint o foch. Ar waelod y darlun roedd gŵr yn cysgu, a thair merch ifanc noeth yn syllu arno. Yno hefyd roedd dewin, a'i hudlath yn taro'r cysgadur ar ei ysgwydd. Ysgydwais fy mhen.

"Copi o baentiad o lawysgrif o'r unfed ganrif ar bymtheg o Ffrainc. 'Dydd y Farn Fawr ar Baris' yn ôl yr arbenigwyr. Y dydd y deffrodd y brenin o'i drwmgwsg."

"Ydych chi'n awgrymu bod Igoris yn trio dweud rhywbeth wrthych chi?"

"Dyna'i ddull o, Madam Mair. Ddywedodd o'r un dim yn uniongyrchol wrtha i am y darlun yna, ond roeddwn i'n ei ddehongli fel beirniadaeth uniongyrchol arnaf i a'r modd rydw i'n rheoli Nacca Culaam."

Pan glywais i hynna, rhaid cyfaddef fy mod i'n c'nhesu at Igoris. A dwn i ddim a barodd hynny i mi ystumio rhywfaint ar fy neongliadau a bwrw'r goelbren bob tro o blaid Igoris. Roedd hi'n amlwg y teimlai Nwgeri fod hynny'n ddigon o ragymadroddi, a gofynnodd i mi ddarllen y cofnod oedd gyferbyn ag Awst 19eg.

'Rydw i wedi fy amgylchynu gan ferched, o leiaf dw i'n meddwl mai merched ydyn nhw, oherwydd maen nhw'n ffurfiau annelwig. Mae 'na lais y tu mewn i mi'n dweud yn dawel 'Rhaid i ti ddianc. Dianc rhag dy dad'.

O na bai llyfrau a chardiau indecs Arwyn wrth law! Ac fe ddywedais hynny wrth Nwgeri. Gwenu ddaru o.

"Mae popeth sydd ei angen arnoch chi yn yr ystafell hon, Madam Mair, yn llyfrau ac yn ddeongliaduron. Ond y rheswm pennaf pam rydych chi yma ydi mai eich dehongliad a'ch ymateb chi rydw i ei angen, nid ymateb doethion byd. Fe wyddoch chi bethau am Igoris erbyn hyn nas gŵyr neb arall…"

Doedd dim byd amdani ond dechrau.

"Mae'r frawddeg gyntaf 'Rhaid i ti ddianc' yn awgrymu bod yna ail ran iddi – rhaid bod yna reswm pam bod Igoris eisiau dianc."

"Onid ydi fy enwi i yn awgrymu'r rheswm?"

"Nac ydi. Symbol o'r ysbryd traddodiadol ydi'r tad mewn breuddwydion – yr un yw'r cysyniad â'r cysyniad o dduw mewn crefyddau. Ond mae'r freuddwyd yma yn awgrymu bod Igoris yn gweld traddodiad fel rhwystr. Mae'r tad symbolaidd wedi caethiwo'r breuddwydiwr ym myd yr ymwybod, ac mae o'n ysu am dorri'n rhydd, am brofi yr hyn sydd y tu draw i'r ymwybod – neu sydd yn yr isymwybod."

"Beth ydych chi'n ceisio'i ddweud?"

"Proses araf ydi llwyddo i gyplysu'r ymwybod a'r isymwybod. Proses boenus. Yr hyn rydw i'n ei awgrymu i chi ydi mai dechrau ar y broses honno yr oedd Igoris, neu efallai ei fod ar ei hanner. Mae'n rhaid cael person deallus iawn i gwblhau'r broses."

"Ond roedd Igoris gyda'r deallusaf – yn flaenaf yn ei faes…"

"A dyna'r broblem… i unrhyw un deallus, dydi cyplysu'r ymwybod a'r isymwybod, a gwahaniaethu rhyngddyn nhw, ddim yn hawdd. Mae realaeth yn mynd ar goll, y diriaethol yn troi'n haniaethol ac yna'n troi'n ôl. Does yna ddim rhesymeg yn perthyn i'r broses o gwbl."

"Felly ail frawddeg resymegol ei freuddwyd fyddai 'er mwyn torri ar y traddodiad'?"

"Nid o angenrheidrwydd. Cofiwch am y merched yn y freuddwyd. Fel y merched yn y paentiad. Yr ail frawddeg resymegol i mi fyddai 'er mwyn dilyn yr isymwybod' – a hwnnw sy'n cael ei gynrychioli gan y merched."

Bu'n dawel am ennyd, felly gofynnais gwestiwn iddo.

"Ydych chi a fi'n cael y sgwrs yma rŵan? Neu ai breuddwydio rydych chi?"

"Rydan ni yma, yn y llyfrgell. Mae llyfr Igoris ar eich glin, ac rydych chi newydd ddarllen rhan ohono…"

"Ac efallai, unrhyw eiliad rŵan, y byddwch chi'n deffro yn eich gwely yn ymwybodol mai breuddwyd fuo'r cyfan!"

Atebodd o mo hynna, dim ond nodio'i ben yn araf. Ac fel pe bai ganddo ddigon i gnoi cil arno am y tro, doedd o ddim am barhau â'r sgwrs.

"Fe awn ni ymlaen i'r nesaf nos yfory," meddai gan afael yn y llyfr a'i gadw yn y drôr. Yna trodd ataf. Gafaelodd yn fy llaw ac edrych i fyw fy llygaid. "Noswaith dda, Madam Mair". Roedd yn fwy o sibrwd na dim arall. Ac fe'm gadawodd.

Fe gofiais innau am Chwedl Asnoch. Fûm i ddim yn hir cyn ffendio copi ohoni ar y silffoedd.

Bragas, Spera ac Asnoch

Yng nghanol coedwig drwchus y Boncyffion Talgryf fe drigai Mbomw Fawr a'i hwch fagu a elwid yn Vivir. Ym mol y goedwig, ger llannerch y Baal Barfog, fe safai Coeden y Cibau, a'i breichiau cnotiog yn ymestyn y tu hwnt i odre'r cymylau ble nythai brenin yr adar. Ac o dan y goeden hon roedd cartref Mbomw Fawr, a thwlc Vivir.

Baedd mawr y Brenin Baach oedd Sangre Ddu ac yr oedd yn rhydd i unrhyw un o drigolion Nacca Culaam fynd â'i hwch fagu at Sangre Ddu ar yr amod y rhoddid pedwar o bob pump o'r torllwyth yn rhodd i'r Brenin Baach. Un dydd, aeth Mbomw Fawr at y brenin gyda Vivir, ei hwch fagu. Yng nghyflawnder amser ganwyd i Vivir bymtheg o foch bach, ac yn ôl y drefn fe aeth Mbomw Fawr â deuddeg o'r torllwyth i lys y Brenin Baach gan adael Vivir gyda thri mochyn bach – Bragas, Spera ac Asnoch.

Roedd Bragas yn fochyn bychan barus ac hunanol, ac er bod gan Vivir dethi rif y gwlith, mynnai Bragas wthio'i frodyr o'r neilltu pan ddeuai'n amser bwyd. A bu'n rhaid i Vivir eistedd arno fwy nag unwaith i'w ddisgyblu, a'i rybuddio.

"Bragas, Bragas, mae brenin yr adar a'i gylfin fwaog yn hofran uwch ein pennau ac yn gweld popeth â'i lygaid gwynion. Gwylia ar dy droed rhag iddo weld dy hunanoldeb."

Roedd Spera yn fochyn bychan anystywallt, ac anodd ei drin, ac er i'w fam ei siarsio ganwaith ynglŷn â'i fyhafio a'i grwydro, mynnai Spera ymestyn y ffiniau. A bu'n rhaid i Vivir eistedd arno fwy nag unwaith i'w ddisgyblu, a'i rybuddio.

"Spera, Spera, mae brenin yr adar a'i gylfin fwaog yn hofran uwch ein pennau ac yn gweld popeth â'i lygaid gwynion. Gwylia ar dy droed rhag iddo weld dy gamfyhafio."

Bywyd unig oedd bywyd Asnoch. Byth yn crwydro o glydwch tethi ei fam, dim ond swatio yn ei hymyl i gysgu a breuddwydio a gwrando ar ei rhochian. A byddai Vivir yn dragwyddol yn estyn clust i Asnoch pan fyddai yntau'n adrodd ei freuddwydion wrthi. A byddai Vivir yn gwenu ac yn dweud,

"Asnoch, Asnoch, fe wyddost am frenin yr adar a'i gylfin fwaog sy'n hofran uwch ein pennau. Ef sy'n *sodro breuddwydion hefo'i lygaid mawr gwynion!"*

A byddai Asnoch yn gwenu.

Ac Asnoch, yn ddi-os, oedd cannwyll llygad Vivir.

Ond roedd ei frodyr wedi blino a 'laru ar Asnoch a'i freuddwydion. Bob bore pan fyddent yn deffro byddai'n parablu yn ddi-baid am ei freuddwydion. Ac yn ganolog i'w holl freuddwydion yr oedd ymddangosiad brenin yr adar a'r Cigydd Coch. Cymaint yn wir oedd ei hunllefau am y Cigydd Coch fel bod Bragas a Spera wedi penderfynu un diwrnod eu bod am adael y twlc i chwilio am Dangnefedd y Byd y Tu Hwnt i'r Filltir Sgwâr.

"Peidiwch â mynd!" ymbiliodd Asnoch ar ei frodyr. "Mi freuddwydiais neithiwr fod brenin yr adar yn cyhwfan uwch y twlc a'r Cigydd Coch yn chwerthin y tu allan, ac yn ei law ddeau yr oedd yn dal cyllell hirlafn loyw, ac yn y llall gala hogi ddu-sgwâr. Ac wrth dynnu'r gyllell ar draws y gala yr oedd yn llafarganu:

'Bragas a Spera ac Asnoch y moch
Pa bryd 'dach chi'n gadael y cafn?
Rwy'n hogi i'ch crogi yn hogi bob dydd
Hogi a hogi fy llafn…
Cerddwch yn hy ar hyd gro'r Llwybr Du
A mudwch o'ch twlc fesul pâr,
Caf innau eich arwain i Dangnef y Byd
Y Tu Hwnt i fro gaeth Milltir Sgwâr.' "

Chwerthin a wnaeth Bragas a Spera, chwerthin nes bod eu stumogau'n drymbowndian a'u hochrau'n hollti brifo, a'r prynhawn hwnnw gadawodd y ddau dwlc Vivir a chychwyn cerdded y Llwybr Du i'r goedwig ddudew. Ac ni welodd yr un ohonyn nhw gysgod adenydd, ac ni chlywodd yr un ohonyn nhw grawc, na chri, na chyffro ymhell uwchlaw breichiau Coeden y Cibau, yn llannerch y Baal Barfog, yng nghanol coedwig drwchus y Boncyffion Talgryf...

Ac ni chlywodd Vivir nac Asnoch air ganddyn nhw fyth wedi hynny. Ond roedd Asnoch yn dal i freuddwydio, a bob bore fe fyddai Vivir yn gofyn iddo,

"Beth oedd yn dy freuddwydion di neithiwr, Asnoch? Welaist ti'r Cigydd Coch?"

A'r un fyddai ateb Asnoch beunydd.

"Naddo, ni freuddwydiais am y Cigydd Coch neithiwr. Ni freuddwydiais am y Cigydd Coch er y dydd y gadawodd Bragas a Spera i chwilio am Dangnefedd y Byd y Tu Hwnt i'r Filltir Sgwâr."

Ac fe fyddai Vivir yn codi ei golygon y tu hwnt i Goeden y Cibau cyn ychwanegu,

"Ti sydd gallaf, Asnoch. Dim ond mewn breuddwyd mae gwir brofi Tangnefedd y Byd sydd y Tu Hwnt i'r Filltir Sgwâr."

A bu Asnoch byw yn hir.

* * *

Roedd yna ddau gan mil o besetas yn yr amlen, a cherdyn platinwm Banc Morgan Stanley Dean Witter, gyda f'enw ac uchafswm credyd o filiwn o besetas arno. Wedi gwneud sym sydyn, roedd hynna'n gyfwerth â chwe mil o bunnau, ac fe gawn i ffrogiau a dilladau lu am hynny! Ond buan yr aeth yr arian o'm meddwl. Roeddwn i'n dal i dreulio'r sgwrs, ac roedd gen i rywfaint o gydymdeimlad â Nwgeri.

Roedd un peth yn dal i aros yn fy meddwl. Ac roedd hynny'n gyrru cynnwrf drwy fy holl gorff. Fe ges i ryw deimlad rhyfedd wrth edrych ar Nwgeri pan ffarweliodd â mi cyn noswylio. Roedd o'n edrych arnaf i hefo golau od yn ei lygaid – fel pe bai o ar fin dweud rhywbeth mawr neu isho dweud rhywbeth mawr. Ac eto roedd o wedi dweud llawer. Wedi agor cryn dipyn ar ei galon.

Ydi o'n fy ffansïo i? A sut rydw i'n mynd i ymateb iddo fo os dywedith o rywbeth i'r perwyl hwnnw? Ydw i'n ei ffansïo fo? Yn sicr, dydw i ddim yn meddwl 'mod i'n blysio'r corff swmpus, chwyslyd, blewog, brown, ond mae yna ryw gyfaredd yn perthyn iddo fo – yn ei lygaid, ei olygon, ei lais, ei ymddygiad... ac... mae o'n filiwnydd!

Callia, Mair! Y dydd y teflaist ti holl bethau Rhodri o'r tŷ, a'u dympio'n ddiseremoni yn dwmpath coelcerth ar y lawnt ffrynt, fe addewaist i ti dy hun na fyddet ti byth, BYTH BYTHOEDD yn golchi na smwddio'r un pâr o drôns na sanau i'r un dyn byth mwy, na fyddet ti'n cael dy hun mewn sefyllfa na pherthynas glòs byth mwy, ac na fyddet ti chwaith yn trystio yr un dyn byth mwy. Callia, Mair!

Dydd Mawrth, Awst 10fed

MAE SŴN CYSON Y GLAW sy'n taro to gwydr yr ystafell haul yn chwyrlïo trwy dy feddwl di, Mair. A 'ti'n gwybod pan glywi di'r sŵn yna ei fod o'n dy atgoffa di o ddydd angladd Arwyn. Roeddat ti wedi codi ers pedwar o'r gloch y bore ac wedi mynd â phaned o goffi hefo ti i eistedd yn y gadair gawell wellt. Fan'no y byddech chi'ch dau yn eistedd – sedd i ddau oedd hi, ac ym Mryste y prynodd Arwyn hi. Fan'no y byddai o'n smocio'i faco Morocco a thithau'n sipian dy ffisig ac yn siarad talpiau o'th nofel newydd i'th beiriant recorder bach. Y fo'n procio tân dy syniadau a thithau'n cau dy lygaid, a'r ffisig yn chwyddo dy feddyliau, yn ehangu'r pum synnwyr, yn priodi geiriau anghymarus â'i gilydd, gan ddisgwyl i ti wneud synnwyr ohonyn nhw pan aet at dy gyfrifiadur. Wyt ti'n cofio eich disgrifiad chi eich dau o'r storm? 'A Duw a chwydodd laeth ei gynddaredd i ferw'r tonnau gan edliw y tethi y bu'n eu sugno'n hesb. Yn fwceidiau y gwasgarodd ei berfedd yn drochion poeth gan felltithio'r dydd ei hun am feiddio gwawrio.'

Ac yn yr ystafell honno roeddet ti fore'r angladd, a glaw y bore bach yn dyrnu'r to. Tithau'n dychmygu cysgod adenydd aderyn ysglyfaethus yn hofran ymhell uwchben y tŷ, a'i big yn diferu wrth ysu am y wledd, ei grafangau barus yn cau ac agor, agor a chau, yn disgwyl. Disgwyl.

Fe gymeraist ffisig. Ond doedd y ffisig ddim yn gweithio'r adeg honno. Waeth faint gymeret ti. Onid oedd Arwyn wedi dy rybuddio di i beidio â chymryd mwy na dwy lwyaid y dydd? Be ddeudodd o wrthat ti? Wyt ti'n cofio? Dwy lwyaid – dim mwy. Cadwa at y c'negwerth neu mi fydd y 'sglyfath yn creu hafog hefo dy feddwl di ryw ddydd. C'negwerth. Dyna'i air mawr o. Tithau'n hesb o eiriau, yn meddwl y basa llond ecob yn symbylu, yn cyffroi, yn ysgogi, yn sbarduno ac yn procio'r awen. Ond doedd geiriau ddim yn nofio yn dy feddwl di'r diwrnod hwnnw. Un gair oedd yno, fel morfil anferth yn ymladd am ei anadl mewn llyn bach llonydd. Marw. Un gair mawr. Er bod yna filoedd ar filoedd o nodwyddau bach gwlyb yn taro'r to bob munud, a chysgod pig a chrafanc ddur, un gair oedd yna. Un gair. A chyn i ti orffen dy ail baned fe sylweddolaist ti'n sydyn fod y sŵn wedi peidio. Roedd hi'n dawel fel y bedd. Tithau'n methu deall sut y medrai storm fel hon fod mor dawel...

Y glec a'm deffrodd i'r bore 'ma, ac roedd hi'n ddiawl o glec. Dychrynais am fy mywyd, taro gwisg nos amdanaf a rhuthro o'r ystafell ac i lawr y grisiau i'r brif lolfa. Ger drws agored y balconi safai Nwgeri a Tambo yn gwylio'r storm. Gwibiai a fflachiau'r mellt ac ergydiai'r taranau'n beryglus o agos. Ac yna fe ddaeth y glaw. Nid yn gawod fel yr oeddwn i'n gyfarwydd ag o, ond yn fwceidiau yn cael eu hyrddio'n ddidrugaredd ar do, ar ddaear ac ar furiau. Fedrwn i wneud yr un dim ond sefyll yn ôl a syllu mewn rhyfeddod ar y dafnau'n taro llawr y balconi ac yn sboncio droedfeddi'n ôl i'r awyr.

Agorodd Nwgeri ddrws y balconi led y pen a dweud rhywbeth yn ei iaith ei hun wrth Tambo. Diflannodd hwnnw.

"Rhaid i chi glywed storm Affrica yn ogystal â'i gweld, Madam Mair!" meddai wrthyf.

Ond roedd gen i ofn, ac roedd y taranau'n dod yn gyson fel ffrwydradau anferthol. A phan ddaeth y nesaf roeddwn i'n grediniol y byddai fy nghlustiau yn ffrwydro. Fe sgrechiais a 'mochel yn y man cyfleus agosaf – côl Nwgeri – ac fe ddaeth ei freichiau cryfion amdanaf fel arth fawr. Roeddwn i'n teimlo'i fysedd yn gwasgu fy nghnawd meddal, ac yn mwytho fy nghorff drwy'r goban denau.

Ac am eiliad roeddwn i'n ôl mewn parti ym Mhlastirion Avenue a dwylo crwydrol Arwyn... ac yn ôl yn Corfu a dwylo caled Rhodri'n crwydro...

"Dyna chi, dyna chi, Madam Mair."

A doedd dim modd osgoi na pheidio ag ymateb i symudiadau ei bawennau. Ac mi wnes i fy hun yn bêl fach gynnes yn ei fynwes a rhoi fy mhen i orffwys ar ei frest. Ac fe ddaeth y pawennau i fwytho fy mhen, a'm gwallt, a'm boch, a'm gwefusau... ac fe ddaeth y llygaid a'r gwefusau yn nes at fy llygaid a'm gwefusau innau. A doedd ei gusan ond megis cyffyrddiad ysgafn, ysgafn.

Rwyt ti'n ffŵl, Mair Rhydderch. Pam rwyt ti'n meddwl bod Nwgeri wedi dweud wrth Tambo am adael? Roedd o'n medru dy ddarllen di fel llyfr. Roedd o wedi gweld yr ofn oedd yn dy lygaid. Roedd o'n gwybod yn iawn beth baset ti'n ei wneud. Roedd o eisiau bod yn angor i ti yn anterth y storm. Aros ei gyfle roedd o, a gweddïo am gythral o glec – ac fe ddaeth! Ac roeddat tithau yno fel pry bach yn barod i neidio i ganol ei we. A phe bai o yno, pan oedd sŵn y nodwyddau milain yn clecian ar do'r 'stafell haul, fe fyddai wedi gafael ynot ti yn y storm honno hefyd... wyt ti ddim am ddiolch na pharhaodd y storm yna'n hir? Nad oedd pwrpas i Nwgeri dy bawennu pan beidiodd y fflachio a'r taranu a'r pistyllio a'th fod ti wedi ymddwyn fel hogan ar ei dêt cyntaf a chilio yn swil yn ôl i'th 'stafell wely 'i sgwennu'.

A beth am dy gyfrinach fawr? Wyt ti'n barod i'w rhannu hi hefo rhywun? Hefo Nwgeri efallai? Wedi'r cyfan, mae o'n ddigon pell o Gymru fach yn tydi? Mae o wedi dechrau agor ei galon i ti.

Quid pro quo...?

I unrhyw un dan ddeugain oed, o fewn ugain milltir i Fangor, Clwb y Pandora oedd y lle i fod. Roedd y lle yn llawn – yn enwedig ar nosweithiau Dafydd Iwan neu Bryn Fôn ac wedi un o'r achlysuron hynny y dechreuodd y cyfan.

Fi fyddai'r gyntaf i gyfaddef fod fy mywyd i raddau yn un hunanol. Ac fe fyddwn innau ar fy ngwaethaf yn cymharu Rhodri hefo Arwyn. Ac roedd hi'n gymhariaeth gwbl annheg. Doedd Rhodri a minnau ddim o'r un cefndir, ac roedd hi'n anodd iddo fo ddygymod, yn enwedig ar y dechrau, â'r gwahaniaeth oedd yna rhwng bywyd labrwr a bywyd darlithydd. Roedd o'n deall beth oedd gweithio dwyawr dros amser – byddai ei becyn pae yn adlewyrchu hynny ddiwedd yr wythnos – ond roedd o'n methu deall yr oriau bwygilydd y byddwn i'n eu gweithio gyda'r nosau ac ar y Sadyrnau. Hefyd, wrth gwrs, roeddwn i'n ysgrifennu. Nofel neu stori neu astudiaeth ar y gweill yn dragwyddol.

Yr unig eithriad oedd y Sul. Dydd Sul oedd dydd y teulu. Roedd y diwrnod cyfan yn cael ei neilltuo i Rhodri, Doti a minnau i dreulio amser yng nghwmni'n gilydd. Gwneud fawr o ddim yn y bore ond paratoi cinio, wedi cinio mynd am dro. Cerdded neu feicio os byddai'n braf, weithiau i'r car ac am Ben Llŷn, Rhyl, neu hyd yn oed Aberystwyth. Ond roedd nos Wener a nos Sadwrn wedi eu neilltuo ar gyfer Rhodri a minnau, ac yn aml iawn byddai Doti'n mynd at Mam.

Y nos Sadwrn yma roeddan ni yn y Pandora a'r lle dan ei sang. Cyrff chwyslyd ymhob man a Bryn Fôn yn powndio'i ganeuon un ar ôl y llall, a'i lais a'r gerddoriaeth yn drymbowndian o'r myrdd *speakers* a hongiai ar bob un o'r waliau. Roedd hi mor swnllyd yno fel ei bod hi'n amhosib cynnal sgwrs, ac roedd Rhodri a minnau ar ein heistedd yn gwylio'r myrdd cyrff yn dawnsio, yn gwau trwy'i gilydd neu'n ceisio cynnal sgwrs yng nghlustiau'i gilydd.

Roeddwn i wedi cynnig dreifio a Rhodri, yn ôl ei arfer ar nos Wener, yn llowcio peintiau. Erbyn hanner nos roedd o'n bur feddw. Roeddwn i'n gwisgo fy ffrog goch – *Lady in Red* oedd o'n fy ngalw i pan wisgwn i honno – ac yntau mewn crys T dilewys a'i freichiau cryfion brown yn dangos. Wrth edrych arno fo'n syllu ar y merched roeddwn i'n cael y teimlad ei fod o'n blysio pob geneth ugain oed oedd yn pasio. Yn sicr roedd sawl un ohonyn nhw'n gwenu'n ddel arno fo, ac ambell un mor bowld â dod ato a rhoi ei dwylo ar ei gyhyrau.

"Sindis!" gwaeddais yn ei glust.

"Be?"

"Pethau ifanc 'ma. Pob un yn denau fel 'styllan, ac wedi tollti'u hunain i'w dillad. Fel dolis Sindis!"

Chwerthin wnaeth o a throi'n ôl i studio'r dorf. Yn yr un modd ag yr oedd o'n ll'gadu'r merched, roeddwn innau wedi dechrau ll'gadu'r dynion. Roeddwn i'n rhyfeddu at gynifer y rhai oedd yno'n ddibartner. Wrth i'm llygaid grwydro yn ôl ac ymlaen fe ddigwyddais sylwi ar ddyn oedd yn pwyso yn erbyn un o'r pileri gerllaw yn sipian

cwrw o botel. Rhaid ei bod hi'r trydydd tro i mi edrych
arno a chael y teimlad ei fod o'n edrych arnaf innau. Fe
ddalion ni'n llygaid ein gilydd a gwenu. A dyna pryd y
sylweddolais i fod Rhodri'n edrych arnaf i. Gafaelodd yn
ffyrnig yn fy mraich a gweiddi,

"Pwy ddiawl yw e?"

"Paid! Rwyt ti'n 'y mrifo i!"

Gollyngodd ei afael, codi ar ei draed, a chamu i
gyfeiriad y dyn wrth y piler.

"Wyt ti'n llygadu Mair! Y basdard!"

Ddywedodd y dyn ddim byd, dim ond troi a chychwyn
cerdded oddi wrtho. Ond mewn chwinciad roedd Rhodri
wedi ei ddal ac yn taflu dwrn tuag ato. Aeth yn ffradach
wyllt. Pobl yn ceisio dianc rhag Rhodri oedd yn ymddwyn
fel gwallgofddyn ac yn taflu dyrnau fel rhywun gorffwyll,
a'r bownsars parod yn neidio ato i geisio'i rwystro. Aeth
yn ffri-ffor-ôl. Rhai'n cael eu dal yn ddiniwed ac yn
amddiffyn eu hunain, a rhai o'r llafnau ifainc eraill jyst
isho ffeit…

Rhywsut rywfodd fe lwyddais i lusgo Rhodri oddi yno
ac allan i'r awyr iach. Wedi ei wthio i sedd gefn y car es â
fo adre gan ddiolch i'r nefoedd fod Doti hefo Mam am y
noson. Wedi hanner ei gario i'r tŷ a chau'r drws, fe'i
rhoddais i orwedd ar y soffa.

"Mi wna i banad o goffi i chdi," meddwn wrtho. "Aros
yn fan'na."

Dim ond dau gam a gymerais i tua'r gegin ac roedd o ar
ei draed ac ar fy ôl. Gafaelodd yn fy mraich a 'nhroi i rownd.

"Ffycin hwren!" gwaeddodd a thaflu dwrn tuag at fy
wyneb. "Fflyrtio hefo basdards hanner dy oed di!"

Llwyddais i osgoi'r dyrnod ond yr eiliad nesaf fe'm
ciciodd yn fy ffêr nes roeddwn i ar lawr ac yn gwingo gan

boen. Roeddwn i'n argyhoeddedig pan glywais ei esgid galed yn taro'r eilwaith fod yna asgwrn wedi torri.

"Paid, Rhodri! Paid!"

Roeddwn wedi dychryn, ac yn edrych ar anifail nid dyn. Caeodd ei lygaid a'u hailagor. Am eiliad roedd o fel pe bai'n methu deall ymhle'r oedd o. Ond diolch i'r nefoedd roedd y ffit o wylltineb wedi pasio.

"Wi'n-mynd-i-'ngwely," mwmiodd.

Fe adewais i chwarter awr dda fynd heibio cyn mentro i'r llofft gan obeithio y byddai'n cysgu. Ond roedd o yno yn eistedd ar y gwely, y colar a'r tennyn yn ei law...

Caria 'mlaen, Mair! Paid â rhoi'r gorau i ysgrifennu rŵan. Cartha'r cyfan o'th gyfansoddiad.

"Be sy'n bod?"

"Ti'm yn cofio?" Ac fe ddechreuais grio.

Gorweddodd yn ei ôl a gafael yn ei ben.

"Be 'nes i?"

"Dyma be wnest ti!" gwaeddais, a dangos fy ffêr iddo.

"Ffycio o gwmpas efo'r dyn 'na o't ti!"

"Wel'is i 'rioed mono fo o'r blaen, a fues i erioed yn siarad hefo fo."

"O'dd e'n dy l'gadu di..."

"Dynas dw i! Os oedd o'n fy ll'gadu i, doedd o ond yn gwneud be oeddach chdi'n 'neud i'r pethau ifanc yna drw'r nos!"

Troi ar ei ochr wnaeth o a ffugio cysgu.

"Mi fydd rhaid i mi fynd i'r 'sbyty."

"Be?"

"Fedra i ddim cerddad! Dw i'n amau 'mod i wedi cracio asgwrn."

"Paid â siarad rwtsh. Cer i weld doctor."

"A deud be?"

"Fod yna rywun wedi dy gicio di yn ystod y ffeit n'ith'wr ontefe?"

"Dydi hynny ddim yn wir!"

Cododd ar ei eistedd.

"Meiddia di… meiddia di…"

Ond roeddwn i'n barod amdano.

"Os ydi hyn yn digwydd unwaith eto. Ti'n dallt! Unwaith eto!" A chan hercio es allan o'r 'stafell ac i lawr y grisiau.

Trannoeth, dywedais y cyfan wrth Kate.

Mae'r carthu'n dechrau digwydd, ac fe ddaw yn haws wrth i ti fynd rhagot. Dim mwy o falu cachu, Mair. Fe wyddost fod rhaid i ti wneud hyn. Pa mor boenus bynnag ydi o, does gen ti ddim dewis. Ond cymer dy amser. Does yna ddim brys. Dwyt ti ddim wedi bod yma dridiau eto, ac mae gen ti syniad y byddi di'n cael cynnig aros ymlaen, yn enwedig os bydd pethau'n 'datblygu'. E, Mair?

* * *

Er mawr gywilydd i mi, wrth socian o dan y gawod cyn gwisgo am y diwrnod y cofiais i am ben blwydd Doti. Roedd y storm a Nwgeri wedi rhoi'r digwyddiad yn llwyr o 'nghof. A bu bron i mi roi fy nwydroed ynddi wedyn. Wrth i mi godi'r ffôn i alw Tambo i gael llinell allanol y cofiais am y gwahaniaeth amser – doedd dim pwrpas i mi ffonio nes roedd hi'n dri o'r gloch y prynhawn.

Fe wnes i deirawr galed o waith cyn cinio. Ond roedd yna rywbeth yn cnoi y tu mewn i mi. Efallai mai dyna pam yr es i i'r drôr i estyn dyddiadur Igoris a darllen ei gofnod am Awst yr 20fed.

Eisteddaf ar lan y môr yn gwylio'r tonnau. Mae'r tonnau'n torri ar y lan a'u hymchwydd yn cynyddu

bob tro. Mae'r tonnau'n gorlifo'r tir. Rydw i'n dal
yno. Yn eistedd ar ynys.

Ac fe es i i chwilio yng nghyfrolau'r athronwyr am arwyddocâd y freuddwyd. Cystal i mi baratoi.

A thros ginio fe ddigwyddodd yr annisgwyl. Fe ddaeth Nwgeri â dyddiadur Igoris hefo fo.

"Rydych chi wedi darllen y cofnod nesaf, eisoes."

Datganiad oedd hwnna nid cwestiwn. Ond sut y gwyddai? Mae'n rhaid ei fod wedi gosod y dyddiadur mewn ffordd arbennig yn y drôr ac wedi sylwi fy mod i wedi ei gadw mewn ffordd wahanol.

"Fedrwn i ddim peidio wrth ddarllen un o bapurau Igoris y bore 'ma."

"Ei bapur ar freuddwydion unigrwydd?"

Nodiais. "Breuddwyd glan y môr."

"Oedd o'n teimlo ei fod wedi ei ynysu?"

"Nid yn y modd y tybiwch chi. Mae'r môr yn ei freuddwyd yn cynrychioli'r hyn sydd wedi gorlifo tir ei ymwybod. Mae hynny'n dwyn i'w ganlyn newid mawr mewn personoliaeth. Mae o'n cael ei ynysu o'i amgylchedd. Fel pe bai ganddo gyfrinach fawr na fedr o ei rhannu hefo neb na dweud dim amdani wrth neb."

"Ei gynlluniau am Nacca Culaam?"

"Rydw i'n meddwl eich bod chi'n methu gwahaniaethu rhwng dau beth. Nid y newidiadau i Nacca Culaam oedd yn poenydio Igoris, ond y newidiadau oedd yn digwydd yn fewnol iddo fo'i hun fel personoliaeth. Ond roedd yna rywbeth wedi achosi i'r gyfrinach yma ddod i'r wyneb yn ei freuddwyd,"

"Beth arall allai fod yn ei boeni?"

"Dywedwch chi wrtha i! Mi fedrai fod yn rhywbeth o'i blentyndod. Ddigwyddodd rhywbeth trawmatig, neu eithriadol iddo pan oedd yn blentyn? Colli ffrind neu aelod o'r teulu? Oedd o'n teimlo'n euog am rywbeth?"

Ysgwyd ei ben wnaeth Nwgeri. "Fe gafodd ei drwytho yn nhraddodiadau ei wlad a'i phobl – er pan oedd o'n hogyn bach. Roedd pawb yn ymwybodol mai fo, ryw ddydd, fyddai'n fy olynu i, ac roedd yna... mae yna ffyrdd y byddwn ni fel pobl yn profi ac yn rhoi profiadau i ddarpar arweinwyr. Ac fe basiodd Igoris bob un prawf."

Rhywle, ymhlyg yn y geiriau yna, roedd yr allwedd. A dyna pam y'u cofnodais nhw'n fanwl. Roedd Nwgeri wedi troi'n amddiffynnol.

Rydan ni'n gadael am y maes awyr am bedwar y prynhawn yma ac yn hedfan i Girona. Aros yn Calella de Palafrugell heno a theithio i Barcelona nos yfory. Mae Abdul am i mi gael rhywfaint o amser i mi fy hun yn Barcelona. Fe ga i brynhawn cyfan o ryddid brynhawn dydd Iau ac fe fyddwn ni'n dychwelyd i Achlasaam yn gynnar ddydd Gwener.

Am dri fe ffoniais Mam. A dyna groeso a ges i! Diolch i'r nefoedd roedd popeth yn iawn, ac yn ôl Mam roedd y beic wedi plesio'n arw. Roedd yn rhaid mynd ar y beic, hyd yn oed ganllath i lawr y stryd i nôl 'sosej-bîns-a-tjips'! Siawns na chawn i gyfle yn Barcelona i gael anrheg gwerth chweil i'r ddwy. Wrth glywed eu lleisiau fe gododd hiraeth mawr arnaf i – yn enwedig am Doti.

* * *

Mi wnes i fwynhau'r siwrnai, yn gyntaf yn yr awyren i Girona, ac yna yn y car i Calella de Palafrugell, wn i ddim ai oherwydd fod Nwgeri yn sownd wrth fy ochr yn siarad yn ddi-baid, ac yn egluro popeth i mi, ynteu am fy mod i wedi dechrau 'laru ar ddarllen trwy lyfrau a dogfennau Igoris a bod y rheini'n dechrau fy llethu.

Dydw i erioed o'r blaen wedi bod mor agos at ddyn sy'n gwisgo dillad drudfawr, a wnaeth o mo 'nharo i peth mor rywiol ydi o! Pan fyddai Nwgeri yn estyn llaw i bwyntio bys at adeilad neu fynydd nid y llaw frown flewog a ddenai fy sylw, ond y fodrwy a'r Rolex a'r cyfflinc, toriad ei siwt a chyffsen ei grys. Ac yn anochel fe fyddwn i wedyn yn edrych ar ei wyneb a'i wddf, y tei silc melyn a choch ac i lawr at y 'sgidiau sgleiniog du. Mae o fel petai'n creu rhyw falchder ynof i fod yng nghwmni gŵr golygus a thrwsiadus. Fedra i ddim peidio â chymharu Nwgeri, o ran gwisg, hefo Arwyn a Rhodri. Jîns blêr a hen grys rygbi fyddai dillad beunyddiol Arwyn a throwsus llwyd a chrys agored ar adegau mwy cymdeithasol neu i fynd i'w waith. Rhodri wedyn, jîns glân, glas golau neu ddu, crys T byr ei lewys – haf a gaeaf. Mi wranta i fod siwt Nwgeri wedi costio mwy na wardrobs y ddau hefo'i gilydd!

Dydw i ddim yn credu mai dychmygu rydw i y diddordeb cynyddol mae Nwgeri yn ei gymryd ynof. Roedd o'n dynn yn fy ochr drwy gydol y siwrnai, ac yn dangos ac egluro llawer mwy am y lleoedd oedd ar fy ochr i o'r car nag ar ei ochr o. Cyn bo hir roeddwn i'n amau mai esgus oedd hynny i wyro a dod yn nes ataf i. Roedd o'n fy nghyffwrdd bob cyfle a gâi o, a'i ben-glin yn sownd yn fy mhen-glin innau. A wnes i ddim byd i'w rwystro na'i atal. Os ydi o isho gwerthu sebon, falle fod ganddo gwsmer! Yn enwedig os ca i sniff neu ddwy eto ar ei affdyr-shêf!

Wrth ddynesu at gartref Nwgeri yn Calella de Palafrugell fe'm trawodd pa mor debyg i gastell ydi o. Castell enfawr ynghanol coed talgryf a ffordd gulfain yn arwain tuag ato. Ni allwn ond dychmygu'r olygfa a fyddai i'w gweld oddi yno. Y tu cefn roedd y mynydd, y tu blaen y môr. Wrth fynedfa'r ffordd gul roedd tŷ budr yr olwg a hen wraig yn ei du yn eistedd ar gadair haearn. Cododd ei llaw pan welodd y car yn dynesu, ond mewn eiliad roedden ni wedi 'sgubo heibio iddi ac yn dringo tuag at y castell.

Nid castell ydi o mewn gwirionedd. Tŷ mawr, modern, braf, gyda thŵr crwn yn gonglfaen iddo. Y tŵr sy'n twyllo'r llygad ar yr olwg gyntaf. Ond yr un ydi'r moethusrwydd yma ag yn Achlasaam.

Digwyddiadau'r dydd fu'n llenwi fy meddyliau ar y daith o Girona, a doeddwn i ddim yn rhy siŵr faint o gwmni Nwgeri roeddwn i'n dymuno'i gael y noson honno. Neu, a bod yn onest, efallai mai chwarae mig hefo fo roeddwn i. Gan fod y dydd yn tynnu tuag ato, fe wnes esgus llipa fy mod wedi blino ac fe ddois i fy 'stafell.

Wrth edrych ar y llethrau a'r traethau a'r cilfachau o falconi fy 'stafell, fe'm cefais fy hun yn ceisio dychmygu ble'n union roedd Cap Roig. Ai o'r tŷ hwn y cychwynnodd Igoris ar ei siwrnai olaf un? Caf wybod yfory. Es i 'ngwely o fewn hanner awr i fachlud yr haul.

I'th wely, do – ond i gysgu? Na! On'd oedd yna ormod o ddarluniau, a lluniau a geiriau yn chwyrlïo trwy dy ben di? Ac nid y lleiaf o'r rheini oedd y diddordeb cynyddol yr oedd Nwgeri yn ei gymryd ynot ti. Fe fuost ti'n gwneud syms yn dy ben, ac fe ddoist i'r canlyniad fod Nwgeri o leiaf chwe blynedd yn hŷn nag Arwyn. Felly mae o un mlynedd ar bymtheg yn hŷn na ti.

Ble'n union mae Nwgeri'n sefyll ar dy dafol dynion, Mair Rhydderch? Os ydi Eros ar y llaw ddeau ac Agape ar yr aswy, ble mae Nwgeri? Ond fe fyddi di, Mair, yn cymharu pob dyn hefo Arwyn, ac fe wyddost ti yr eiliad hon y byddi di eto'n estyn dy feiro, yn ysgrifennu rhywbeth am Arwyn, a chyn bydd yfory wedi gwawrio fe fyddi di wedi penderfynu. Wedi penderfynu a fydd Nwgeri'n cael dilyn Arwyn.

Doedd yna ddim ffrils o gwmpas Arwyn.

"Rydan ni'n anonest hefo'n gilydd – tydi pobl ddim yn deud yn onest beth sydd ar eu meddyliau."

"Er enghraifft?" meddwn innau gan ei herio.

"Noson y parti – pan welais i ti gyntaf. Roeddwn i'n gwybod o'r eiliadau cyntaf..." Oedodd fel petai'n aros i mi ei bromptio.

"Gwybod beth?"

"Gwybod fy mod i eisiau ac yn mynd i gysgu hefo ti, a gwybod mai dyna oedd yn dy feddwl dithau hefyd."

"Y basdard hunandybus!"

"Gwir 'ta gau?"

"Doedd 'na ddim byd pellach o'm meddwl i!"

"Paid â deud celwydd!"

"Roeddat ti flynyddoedd yn hŷn na fi...! Y peth dweutha yn fy meddwl i'r adag honno oedd cysgu hefo ti."

"Onest?"

Ond fedrwn i ddim dweud hynny. Ac wrth beidio ag ateb a gwenu'n wan, onid oeddwn i'n euog o'i gyhuddiad?

"Oes gen ti syniad sut beth ydi o i fynd yn hen?"

"Tria fi!"

"Dychmyga fi. Fi a chdi. Dyn ydw i, hefo chwantau cnawdol fel pob dyn arall. Yn blysio caru'n araf hefo merch llawer iau na fi."

"Mochyn!" Roeddwn i'n ceisio cadw'r sgwrs yn ysgafn.

"Falle. Falle'n wir."

"Roeddat ti'n briod. Ai'r un ydi chwant dyn priod pan

wêl o ferch ifanc mae o'n ei ffansïo, neu ydi o'n fwy? "

Rydw i'n cofio 'mod i'n teimlo yn rêl hen ast yn gofyn hynny iddo fo, ond ddaru o ddim codi i'r abwyd, damia fo. Gwenu wnaeth o nid ildio.

"Wyt ti'n cofio'r tro cyntaf y buon ni'n dau yn caru go iawn?"

"Y noson ar ôl i mi afael yn dy fôls di!"

Cofio? Caeais fy llygaid. Sut medrwn i anghofio? Wrth gwrs yr oeddwn i'n ymwybodol ei fod o flynyddoedd yn hŷn na fi, ond roeddwn i'n amau fy mod i'n gwybod i ble'r oedd sgwrs Arwyn yn arwain, a thybed nad oedd waeth i minnau gyfaddef ei fod o'n iawn?

Cofio? O ydw rydw i'n cofio. Pob eiliad. Roedd yna rywbeth fel petai yn nwfn fy ymysgaroedd yn dweud bod hyn yn iawn. Fe aeth â fi am bryd o fwyd i Topio Gigio, oedd rownd y gornel o'm fflat i a phan oedd o'n fy hebrwng adre, fe arhosodd yn sydyn a chymryd anadl ddofn. Am eiliad mi dybiais ei fod wedi cael ei daro'n wael. Fe afaelodd yn fy llaw ac edrych i fyw fy llygaid.

"Dw i newydd ga'l syniad boncyrs. Dw i'n mynd ar fy ngwyliau tan 'fory. I'r Harbour Hotel yn y Bae. Tacsi ac mi fydda i yno mewn deng munud." Cododd ei law a chyffwrdd â'm boch yn dyner. "Ddoi di hefo fi?"

Fe wyddwn yn iawn beth roedd o'n ei ofyn i mi. Mewn eiliadau roeddwn i wedi rhagdybio pob canlyniad posib i'w ateb yn gadarnhaol, a rhaid na chroesodd o fy meddwl i i wrthod.

"Mi ddo i hefo chdi."

Roeddan ni fel plant bach. Rhedeg i ddal tacsi gan chwerthin a giglo, a ddaru'r hwyl ddim gorffen nes roedden ni wedi rhedeg i'r gwesty, bwcio a thalu am ystafell gan adael porter a gweinydd cegrwth ar ein holau, tra oedden ni'n rhuthro i fyny'r grisiau, agor drws ystafell 35 a disgyn, yn llythrennol, i'r ystafell ddwbl yn yr Harbour Hotel.

A dyna pryd y gwelais i'r newid syfrdanol yn dod dros Arwyn. Fe afaelodd â'i ddwy law yn fy wyneb ac edrych arnaf i. Roedd yna awgrym o ddagrau a gwên yn ei lygaid fel petai o'n edrych ar y trysor mwyaf o dan haul y nef, ac roedd o mor dyner. A thra oedd ei ddwy law wedi disgyn a dechrau datod botymau fy mlows roedd ei lygaid yn dal wedi eu hoelio i'm llygaid i. Roedden nhw'n ymbilio arnaf wrth i'w ddwylo ganfod fy mronnau, ymbilio arnaf i beidio â rhwystro beth oedd ar fin digwydd, ond doedd yna ddim byd pellach o'm meddwl. Fe ddaeth ei wefusau at fy ngwefusau innau a'r llygaid yna'n dal i durio i ddwfn fy llygaid innau. Roedd hi fel pe bai'n her rhwng y ddau ohonom. Pwy fyddai'n cau ei lygaid neu'n edrych draw gyntaf? Ac fe wnaethon ni hynny hefo'n gilydd. Yn araf bach llithrodd ei wefusau i lawr at fy ngwddf. Gwefus ar wddf, gwefus ar ysgwydd, gwefus ar fron, gwefus ar fronnau; minnau'n dal i sefyll ar fy nhraed, fy llygaid wedi cau a'm dwy law yn gafael yn ei ben. Ei ddwy law yntau yn llithro i lawr fy ngheseiliau ac yn gwthio'r sgert a'r nicyr o'u blaenau. Dannedd ar deth... yr anadlu'n cyflymu ac yn dyfnhau.

"Arwyn! O, Arwyn!"

Y bastard drwg iddo fo! Wrth gwrs 'mod i'n cofio'r tro cyntaf y buon ni'n caru go iawn!

"Wrth gwrs 'mod i'n cofio'r tro cyntaf y buon ni'n caru go iawn!"

"Fel 'na roeddat ti wedi dychmygu caru hefo... hen ddyn?"

"Be 'di'r hang-yp s'gen ti am dy oed?"

"Nid am oed. Gwahaniaeth oed!"

Efallai ei fod o'n hŷn na mi o rai blynyddoedd ond doedd o ddim yn hen ddyn y noson honno, a dw i'n cofio dychryn at ei gyfaddefiad nesaf o.

"Roeddwn i'n nerfus, 'sti."

"Chdi!"

"Mi faswn i wedi bodloni ar un noson hefo ti. Y noson honno'n unig. Fe fyddai ail-fyw y noson gyntaf honno wedi fy nghynnal i weddill fy oes."

"Paid â malu cachu!"

"O basa... roeddat ti'n bopeth yr oeddwn i wedi'i ddychmygu; minnau'n poeni y basat ti'n teimlo'r cryndod oedd yn fy nwylo i, yn fy llais i, drwy fy nghorff i..."

"Dw i'n dy garu di, Arwyn! Dydi oed ddim yn dod iddi!"

Fe afaelodd yn dynn amdanaf i.

"Dw i isho bod yn onast hefo chdi, Mair. Rydw i'n ddyn barus a hunanol. Pan ddois i i orwedd hefo ti y noson honno, pan deimlais i chdi'n fy nerbyn i, yr unig beth oedd yn mynd trwy fy meddwl i oedd plannu ynot ti rywbeth mor annatod ohonaf fi fy hun, fel na allet ti byth bythoedd ddweud y geiriau 'Dw i'n dy garu di' wrth neb arall."

DYDD MERCHER, AWST 11EG

CHYSGAIS I FAWR DDIM NEITHIWR a dyna pam y codais ryw hanner awr yn ôl. Yn ysbeidiol drwy'r nos roeddwn i'n ymwybodol o ryw sŵn. Rhywbryd, a hithau'n dal yn dywyll, fe godais mor ddistaw ag y gallwn, agor fy nrws a chamu i'r cyntedd. A dyna pryd y sylweddolais i mai sŵn chwyrnu a glywn i! Mae Nwgeri'n chwyrnwr mawr! Er ei fod o mewn ystafell ym mhen arall y tŷ – a drws yr ystafell honno ar gau – roedd sŵn ei chwyrnu yn llenwi'r lle. Ac er fy mod i rŵan allan ar y balconi yn gwylio'r haul yn codi, rydw i'n sgwennu hwn hefyd i gyfeiliant rhochian Nwgeri. Fedra i ddim meddwl am waeth uffern na rhannu gwely hefo chwyrnwr fel 'na.

Ar wahân i hynny mae hi'n dawel. Mor dawel. Rydw i'n clywed sŵn ambell i gi yn cyfarth ac ambell i dderyn bach yn canu yn y perthi ond oherwydd y distawrwydd mae'u sŵn nhw fel petai'n cael ei chwyddo. Ymhell islaw i mi, ger y tŷ budr, mi wela i goesau ceimion yr hen wraig yn sgubo'r grisiau sydd wrth y talcen, ac un o'i chymdogion yn cario bagiau duon i'r bin sbwriel sydd gerllaw. Yn y bae, fe wela i hanner dwsin o gychod pysgota'n dod â'u helfa tua'r harbwr, ac yn y distawrwydd mae hyd yn oed lais ambell un o'r pysgotwyr yn cario dros y dŵr.

Mae Calella de Palafrugell yn dechrau 'stwyrian.

* * *

Pam roeddet ti'n methu cysgu, Mair Rhydderch? A pham y dechreuaist ti ysgrifennu rhyw hen rwtsh rhyddieithol yn dy ddyddiadur y peth cynta'r bore fel hyn? Ydi 'Mair Pyrpl Pros' wedi ei hatgyfodi? Ai chwyrnu Nwgeri a'th gadwodd yn effro go iawn, ynteu'r cyffro sydd trwy dy gorff di am yr hyn a allai ddigwydd, efallai heno neu nos yfory? Rwyt ti wedi penderfynu, yn do? A does yna ddim byd i awgrymu hynny ar ddalennau dy ddyddiadur di y bore 'ma – neu oes yna?

Nwgeri oedd wedi paratoi'r brecwast ar y balconi. Eglurodd fod Tambo wedi mynd i'r dref. Yn wahanol i'r arfer, fe sylwais ein bod yn eistedd yn ymyl ein gilydd i fwyta, yn hytrach nag yn wynebu'n gilydd.

"Wnaethoch chi gysgu'n iawn?" Fe ofynnais hynny hefo gwên.

Edrychodd arnaf i am eiliad, fe pe bai'n gofyn iddo'i hun, 'Pwy uffar ydi hon i ofyn i mi a gysgais i'n iawn? Fi ddylai ofyn y cwestiwn yna iddi hi!'

Rhaid ei fod wedi deall y wên, oherwydd fe wenodd yn ôl arnaf i a dweud, "Gobeithio na wnes i eich cadw chi ar ddi-hun!"

Gwenu wnes i. Roedd 'na ddau ateb i'r cwestiwn yna.

"Fe fyddai Igoris wrth ei fodd yn dod yma... er pan oedd o'n fachgen bach... fe fyddai'n treulio oriau yn eistedd yn fa'ma yn edrych ar y clogwyn a'r creigiau yn cyfarfod y môr, ac ar ddyddiau stormus fe fyddai'n dynwared y tonnau, ac yn gweiddi 'Whoooosh!' pan fydden nhw'n torri ar y graig fawr acw o dan y Cap Roig."

A dyna Cap Roig!

"Fedrwn i ddim peidio â sylwi – wrth fynd trwy lyfrgell Igoris – nad oedd yna un o lyfrau Pliskinn yno?" Fel sylw neu ddatganiad y bwriedais i'r frawddeg fod, ond fe droes yn gwestiwn.

"Mae llyfrau Pliskinn i gyd yma. Yn fy 'stafell i. Pan fydda i yn Achlasaam maen nhw yn fy 'stafell i. Lle bynnag rydw i maen nhw hefo fi."

Dim ond un o ddau reswm a allai fod i'w gyfrif am hynny.

"Ers i Igoris farw, rydw i wedi bod yn darllen llawer am faes ei astudiaeth. Rydw i'n grediniol mai yno... y gallai fod rhywbeth..."

Ond roedd yna rywbeth yn ei ddal yn ôl. Doedd o ddim fel petai'n gyfforddus yn dweud rhai pethau wrtha i. Wn i ddim pam, ond am un eiliad wallgo roeddwn i eisiau gafael amdano a'i wasgu'n dynn ataf i. Dyn mewn gwendid oedd o. Dyn o awdurdod. Dyn cryf. Dyn delwedd. A doedd y ddelwedd honno ddim i'w chwalu ar unrhyw gyfrif. Yn araf a bwriadol rhois fy llaw ar ei law yntau.

"Sut buodd Igoris farw?"

Edrychodd o ddim arnaf i am ychydig. Dim ond syllu ar ein dwylo. Ac roedd o'n dal i edrych ar fy llaw i'n dal ei law o pan atebodd fy nghwestiwn.

"Fe gawn ni drafod hynny pan gyrhaeddwn ni Cap Roig."

* * *

Nwgeri oedd yn gyrru'r car. Fe benderfynodd na fyddai angen i Tambo ddod hefo ni. Er na allwn i ond rhyfeddu at y golygfeydd godidog o arfordir Catalunya ar y ffordd i'r Cap Roig, doeddwn i ddim yn eu mwynhau fel y dyliwn

i. Doedd dim awgrym o gwbl yn ei sgwrs o'r hyn y bydden ni'n ei drafod wedi cyrraedd Cap Roig – roedd o wrth fy ochr yn parablu fel pwll y môr am ddulliau pysgota a bwytai godidog Tamariu. Tybed nad cuddio ei wewyr yr oedd o drwy fod mor siaradus? Roeddwn i'n ceisio ymateb i'w barabl tra oeddwn i'n ceisio cofio prif bwyntiau damcaniaeth Pliskinn.

Doedd damcaniaeth sylfaenol Dimitri Pliskinn ddim yn newydd, ond roedd y sbìn a roddodd o ar y ddamcaniaeth wedi codi cynnwrf yn y byd athronyddol. Fel ei fan cychwyn yr oedd wedi dechrau gyda damcaniaeth Freud fod ymwybyddiaeth o blentyndod mewn breuddwydion, yn ddieithriad, yn cael ei chysylltu â rhieni – felly roedd breuddwydio am blentyndod yn arwain yn anochel at ddychwelyd at fam ac at dad. 'Ond' dadleuai Pliskinn, 'beth pe na bai mam yn bodoli ym mhlentyndod bachgen? Oni fyddai galw i gof blentyndod, yn enwedig o fewn breuddwydion, yn rhoi i'r breuddwydiwr ddehongliad sgi-wiff o'r tad fel ymgorfforiad o werthoedd traddodiadol? Yn enwedig os oedd ym mherthynas y tad a'r mab, yn ystod plentyndod, unrhyw ddigwyddiad oedd wedi peri anghysur neu drawma i'r mab. Canlyniad anochel hynny fyddai i'r mab ymwrthod â'r tad, nid yn unig fel cynrychiolydd traddodiad, ond hefyd fel ffigur archdeipaidd ac fel ysbryd cyfrwng gwybodaeth.' Ac yn ôl Pliskinn, o dynnu'r tri pheth yna o isymwybod unrhyw wryw, roedd deunydd gwallgofddyn ynddo.

Fel y dringem tuag at Cap Roig peidiodd bwrlwm y siarad. Arafodd y car a pharciodd Nwgeri ar lannerch nid nepell o dro pedol yn y ffordd.

"La Esquina Dios maen nhw'n galw'r gornel yma...

oherwydd pan ddowch chi i lawr y ffordd a throi'r gornel, dyma a welwch chi." A phwyntiodd at yr olygfa ysblennydd oddi tanom, golygfa a fyddai'n ddigon i wneud i unrhyw un ddiolch i'w dduw am ei chreu. "A draw acw mae'r plac." Fe ddywedodd hynny'n dawelach.

Edrychais draw, yna'n ôl at Nwgeri. Amneidiodd â'i law, cystal â dweud 'Ewch i'w weld o'.

Agorais ddrws y car, camu i'r haul poeth a cherdded at y plac. Doeddwn i'n deall dim o'r ysgrifen ar wahân i enw Igoris a'r dyddiadau. Yn fa'ma, felly, y bu farw Igoris. Yma. Ar gornel Duw.

Wedi syllu ar y plac unwaith eto, edrychais yn ôl at y car. Daliai Nwgeri i eistedd ynddo. Dychwelais ato. Ble a sut roeddwn i'n mynd i ddechrau ei holi?

"Rydw i wedi eistedd yn y car yma, yn yr union fan yma, am oriau yn ceisio dyfalu beth yn union a ddigwyddodd iddo fo..."

"Beth wyddoch chi?"

"Fe adawodd y tŷ yn gynnar iawn un bore a gyrru i fyny yma i Cap Roig. Roedd yn fore braf a dim traffig. Dim. Roedd un o weithwyr Casa Balelle wedi ei weld ar y copa. Roedd o wedi aros a gofyn a oedd o'n mynd i lawr i'r dre, ac wedi cynnig lifft iddo. Gwrthodasai hwnnw gan ddweud y byddai'n well ganddo gerdded. Wedyn, fe yrrodd i lawr y ffordd am y gornel. Fe arhosodd cyn cyrraedd y gornel a dod allan o'r car a sefyll ger y drws yn edrych ar yr olygfa. Fe drodd yn ei ôl a gweld y gweithiwr yn cerdded yn hamddenol tuag ato. Fe gododd ei law cyn mynd yn ôl i'r car a gyrru rownd y gornel. Eiliadau yn ddiweddarach fe glywodd y gweithiwr glec anferthol ac fe redodd i lawr yma. Roedd y ffens ddiogelwch wedi ei chwalu ac Igoris a'r car rai cannoedd o droedfeddi islaw ar y clogwyni."

"Gyrru'n fwriadol dros y clogwyn wnaeth o?"

"Cha i byth wybod hynny. Fe gafodd y car archwiliad trylwyr a doedd yna ddim byd o'i le arno. Bu Tambo ei hun yn arolygu'r gwaith. Yn beirianyddol, roedd popeth yn gweithio'n berffaith."

Ac yno y deuthum i sylweddoli beth oedd poen Nwgeri. Poen euogrwydd oedd ei boen o. Doedd gen i ddim amheuaeth nad oedd marwolaeth Igoris wedi tyfu'n obsesiwn ganddo. Dyna pam roedd o'n fy nhalu i. Dyna pam roedd llyfrau Pliskinn yn ei ystafell ac yn ei ddilyn o fan i fan. Eu darllen a'u hastudio nhw roedd o. Chwilio am yr ateb i farwolaeth Igoris roedd o, tra oedd yna euogrwydd mawr mai y fo, rywsut, oedd yn gyfrifol.

Mi fuon ni'n trafod damcaniaeth Pliskinn, ond roeddwn i'n cael y teimlad o hyd fod Nwgeri'n dal rhywbeth yn ôl. Dyna pryd y penderfynais ddilyn trywydd arall.

"Pwy oedd mam Igoris?"

"Ashahenta oedd ei henw... ac wedi geni Igoris, yn ôl y drefn, fe... ddychwelodd i fynwes ei theulu."

"Y drefn?"

"Dydi traddodiad Nacca Culaam ddim yn caniatáu priodasau ffurfiol o fewn y teulu brenhinol."

Codais f'aeliau, ac aeth Nwgeri yn ei flaen. "Efallai na fyddech chi'n deall nac yn cymeradwyo rhai pethau ynglŷn â'n pobl, Madam Mair. Braint y pennaeth ydyw dewis unrhyw un o'r llwyth i fod yn fam i'r aer, ac roedd Ashahenta yn ferch i un o ddynion hysbys enwoca'r llwyth. Dyna'r drefn ers canrifoedd. Mae'n rhan annatod o'n traddodiad."

"Oedd Igoris yn adnabod ei fam?

"Am dair blynedd yn unig. Pan fydd aer yn cael ei ben blwydd yn dair oed, y pennaeth a'r Bwrdd Cyfrin sy'n gyfrifol wedyn am ei feithrin a'i fagu i ddilyn ei dad. Felly y bu hi i mi, ac i 'nhad a 'nhaid a 'nghyndeidiau ers canrifoedd."

Wedi dychwelyd i dŷ Nwgeri, mi fûm i'n ysgrifennu am oriau. Roedd yna ddamcaniaeth yn dechrau ffurfio am farwolaeth Igoris. Ond darnau o ddamcaniaeth yn unig oedd gen i. Fel petai yna ddarn o'r jig-so cyfan ar goll. Pe bawn i'n dod o hyd i hwnnw, fe fyddai gweddill y darnau yn syrthio'n daclus i'w lle.

* * *

Ddiwedd y prynhawn, rhoddwyd y cesys i gyd yng nghist y car ac fe ddreifiodd Tambo'r tri ohonon ni i Barcelona. Roedd tri gwarchodwr eisoes yn Barcelona yn aros amdanon ni. Tra bod Nwgeri'n teimlo'n saff yn Calella de Palafrugell roedd yn amlwg ei fod yn fwy gwyliadwrus ynglŷn â'i ymweliad â Barcelona.

Roedden ni'n aros yn Hotel Monte Carlo ar y Ramblas ac roedd yn westy ysblennydd. Cyn i mi fynd i fy 'stafell roedd Nwgeri wedi dweud wrtha i beth oedd trefn y noson honno a thrannoeth. Am hanner awr wedi saith, bydden ni'n cerdded i hoff fwyty Igoris am bryd o fwyd. Wedi bwyta byddem yn dychwelyd i'r gwesty. Drannoeth, roedd o'n mynd i gyfres o gyfarfodydd yn y bore ac roeddwn i'n rhydd i gerdded y ddinas a gwneud fel y mynnwn. Fe fyddai dau o'i warchodwyr yn fy nghysgodi. Disgwyliai i mi fod yn barod i ddychwelyd i Achlasaam am dri o'r gloch y prynhawn.

Mae dy ben di'n troi, Mair Rhydderch. Ar dy waethaf mae yna rywbeth wedi digwydd, ac fe wyddost yr anochel. Mae'r cyfan ar y munud yn llanast, ac fe wyddost mai'r unig ffordd allan o'r llanast ydi closio at Nwgeri. Ganddo fo mae'r ateb a'r allwedd i'r cyfan.

Toc cyn hanner awr wedi saith roedden ni'n cerdded y Ramblas – troi i'r chwith a thrwy Plaza Catalunya. O stryd lydan troi i stryd gul – stryd fygythiol o gul. Mor falch oeddwn i fod gwarchodwyr Nwgeri yn ein cysgodi.

Un peth ydi cael y teimlad o fod dan fygythiad gan adeiladau ac unigrwydd cysgodion a chilfachau – peth arall ydi dod wyneb yn wyneb â bygythiad corfforol ac emosiynol.

O! Fe wyddost ti yn iawn beth ydi cael dy fygwth, Mair Rhydderch, a dydi'r bygythiad a deimli di wrth gerdded cerrig y strydoedd culion ger Plaza Catalunya yn ddim o'i gymharu â'r hyn a ddigwyddodd i ti cyn y Nadolig y llynedd. Ac mae'r noson honno wedi ei serio ar dy gof. Pob un golygfa wedi ei llosgi a'i rhewi am byth fesul ffrâm yn nwfn dy ymysgaroedd...

Noson parti'r Adran oedd hi, ac roedd Rhodri wedi mynnu dod hefo fi er nad oeddwn i'n awyddus iddo ddod. Roedd o wedi newid cryn dipyn yn ystod y flwyddyn, a phan fyddai o'n cael diod feddwol... Bu'r ddwyawr gyntaf yn fwynhad pur, minnau'n dechrau cystwyo fy hun am amau Rhodri. Roeddwn i a Rhodri wedi hanner penderfynu na fyddai'n noson wyllt na gwirion – ceisio yfed dŵr neu ddiod feddal rhwng pob gwydriad o win. Ond fe ddechreuodd Rhodri lowcio wisgi. Dod wyneb yn wyneb â Jac Richards, y dirprwy is-ganghellor, yn y bar wnaeth o, a hwnnw, nid yn unig yn arbenigwr ar winoedd, ond hefyd yn *connoisseur* ar wisgi *Single Malt*. Ac fe ddechreuodd berswadio Rhodri fod yna ffyrdd cywir ac anghywir o yfed wisgi.

"Joch o ddŵr *Springbank* yn ei lygad o. Mae o'n

rhyddhau'r aroma nes llenwi'r gwydr, ac mi fedrwch chi anadlu'r mawn a choedyn y gasgen..."

Ac o un i un fe fu'r ddau yn blasu'r dewis o wisgi oedd yn y gwesty. A Rhodri meddw iawn a gerddodd o'r tacsi i'r tŷ hefo fi y noson honno.

Roedd Doti wedi mynd i aros at Nain. O gofio sawl noson feddw arall yn ddiweddar, mi geisiais osgoi yr anochel.

"Dw i am gymryd cawod, dos di i'r gwely..."

"O nac wyt ti ddim! Ddim nes y byddi di'n egluro dy hun."

"Be?"

"Dawnsio hefo'r mochyn brwnt 'na!"

"Pwy?"

"Meical Jones"

"Meic?"

"Ie, hwnnw. Roedd e'n dy l'gadu di fel 'se fe'n edrych ar fuwch mewn sêl..."

"Rhodri!"

"... a thithe'n gwenu fel mwnci arno fe drwy'r nos..."

"Paid â bod mor wirion!"

"Weles i chi! Paid â gwadu... a dydw i ddim yn mynd i ddiodde'r peth."

"Dw i'n mynd am gawod!"

Ond roedd o yno yn sefyll o 'mlaen i, a'r hen olwg wyllt 'na yn ei lygaid, ei geg yn un rhimyn main, a'i law dde yn datod bwcwl ei felt.

"Mi ddysga i i ti... unwaith ac am byth."

"Na!"

Ond fedrwn i ddim osgoi ei ddwrn. Fe'm trawodd ynghanol fy wyneb. Pan ddois i ataf fy hun roedd o'n sefyll uwch fy mhen a golwg fel anifail gwyllt arno fo, a'i felt yn ei law dde. Yna fe ddechreuodd y curo. Yn gyson, gyson fe ddeuai ergyd ar ôl ergyd. Minnau'n gwichian a gweiddi ac yn erfyn arno fo i stopio. Ond roedd o'n orffwyll.

"Mi ddysga i i ti! Unwaith ac am byth!"

Fe adawodd y 'stafell am ychydig a phan ddaeth yn ei ôl roedd yna gyllell yn ei law.

"Na!"

Fe'm cododd i ar y gwely, a chan ddefnyddio'r gyllell fe dorrodd fy nillad i gyd nes roeddwn i'n noethlymun. Taflodd y gyllell ar lawr.

"Os wyt ti'n ymddwyn fel hen ast, fe gei di dy drin fel hen ast!"

Fe'm rhoddodd ar fy mol ar y gwely a dechreuodd ergydio â'r belt drachefn ar hyd fy nghefn a 'nhin.

Ac yna rhewais. Wrth iddo 'nghuro i, fe ddechreuodd fygwth Doti.

"Ac mi wna i'n siŵr na fydd y bitsh fach 'na ddim byd tebyg i'w mam! O gwnaf!"

Doedd dim ots gen i beth byddai o'n ei wneud i mi mwyach, ond châi o ddim cyffwrdd pen ei fys yn Doti. Roedd fy meddwl yn rasio'n wyllt. Doeddwn i'n teimlo dim oll o guriadau cyson y belt, ond roedd fy nhu mewn yn brifo wrth ei ddarlunio'n ymlwybro'n feddw i ystafell Doti...

Pan beidiodd y curo fe ddechreuodd y trais. Fe gododd fy mhen-ôl i'r awyr a'm llusgo at waelod y gwely. Ac fe'm cymerodd o'r cefn. Roedd ei ddwylo budron yn gwasgu ac yn tynnu'n galed yn fy mronnau ac yntau'n pwmpio o'r tu ôl i mi.

"Ies!" Gydag ochenaid o ryddhad, fe orweddodd ar y gwely wrth fy ymyl a llithro i gwsg swnllyd, bodlon.

Fedrwn i ddim symud am amser maith. Roeddwn i'n gorwedd yn llipa yno yn fy nagrau yn ysgwyd i gyd.

"Chei di mo'i chyffwrdd hi!" Ond geiriau di-sain oedden nhw. Geiriau roeddwn i eisiau eu sgrechian yn nhwll ei glust, ond geiriau y gwyddwn na feiddiwn eu hyngan yn uchel. "Chei di mo'i chyffwrdd hi!" Chwyrlïai'r geiriau rownd a rownd yn fy mhen. "Chei di mo'i chyffwrdd hi!"

Wn i ddim am faint o amser y bûm i'n gorwedd yno, ond pan deimlais ei bod hi'n saff mi godais a modfeddu fy ffordd tua'r 'stafell ymolchi a'r gawod.

Roedd golwg y diawl arnaf i. Roedd fy nghefn a 'nhin yn ddu-las, ac roedd yna glais a gwaed ar fy wyneb. Rydw i wedi byw ac ail-fyw'r noson honno ganwaith, filwaith ac fe wn i sicrwydd mai dyna pryd y penderfynais i. Yno yn y 'stafell ymolchi wrth edrych ar fy hun y drych. Am eiliad roeddwn i'n hunanfeddiannol, yn edrych i ddwfn fy llygaid fy hun, ac yn gweld cleisiau a gwrymiau a gwaed ar gorff bychan Doti. Ac fe wawriodd arnaf yn rhesymegol ac yn oeraidd. Roedd yn rhaid i hyn stopio. Heno. Rŵan. Ac wrth baratoi i amddiffyn fy hun a Doti, am yr eilwaith yn fy mywyd fe gymerais lond dau ecob o ffisig Arwyn.

Peth mawr ydi cyrraedd pen tennyn, yntê, Mair? Sawl gwaith y gofynnaist ti i ti dy hun beth ddigwyddodd i'r Rhodri cariadus a safai ar riniog drws dy apartment yn Corfu hefo swp o flodau yn ei law? Beth ddigwyddodd i'r dyn 'na oedd wedi bod yn sibrwd geiriau cariadus yn dy glust rai misoedd ynghynt? Beth oedd wedi digwydd iddo? Cariad wedi troi'n gasineb. Tynerwch yn fygythiad. Ac rwyt ti wedi 'laru ar fygythiadau a chasineb.

Yr hyn rwyt ti'n dyheu amdano fwyaf y dyddiau yma ydi cariad.

Wedi ychydig funudau o gerdded roedden ni yn Stryd Escudillers. Troi i'r chwith, a Nwgeri'n troi ataf i hefo gwên lydan ar ei wyneb, ac yn estyn ei law a phwyntio tuag at ffwrn siarcol agored a chyrff anifeiliaid a darnau o gig yn gogordroi uwchben y tân coch, eiriasboeth. Daeth yr arogl i'm ffroenau cyn i eiriau Nwgeri gyrraedd fy nghlustiau.

"Dyma ni, Madam Mair! Restaurante Los Caracoles!"

A chyda sbonc yn ei gerddediad cerddodd yn dalog tua'r drws. Roedd y lle yn orlawn a daeth gweinydd ifanc atom ar fyrder.

Roedd un frawddeg ac un edrychiad gan Nwgeri yn ddigon. *"Señor Bofarull, por favor?"*

Diflannodd y gweinydd i fyny'r grisiau troellog. Ymddangosodd yn y man gyda gŵr moel a boldew yn cael ei ddilyn gan weinydd arall mewn dillad duon i gyd. Cefais fy nghyflwyno i'r ddau. Señor Bofarull oedd perchennog y bwyty a Nieto oedd y prif weinydd. Heno fodd bynnag, dim ond un bwrdd y byddai Nieto yn gweini arno – ein bwrdd ni.

Cawsom ein tywys i ystafell fechan hynafol. Roedd tair o'r waliau wedi eu dodrefnu â bric-a-brac a gasglasai'r bwyty ers ei sefydlu ganrif a hanner yn ôl, ac ar y bedwaredd wal roedd pum casgen anferth. Roedd dwy o'r rheini yn gorwedd ar lawr, a'r tair arall ar fath o dresl uwch eu pennau. Yn hongian o'r to ac ar y waliau roedd pob math o gigoedd. Cyn pen dim, roeddem yn eistedd wrth ein byrddau – Nwgeri, Tambo a minnau wrth un bwrdd ym mhen pella'r ystafell, a'r gwarchodwyr wrth fwrdd ger y drws.

"Ydych chi'n hoff o falwod?" Rhaid fy mod wedi oedi mymryn pan ofynnodd Nwgeri'r cwestiwn i mi, oherwydd agorodd fymryn ar ei lygaid fel pe bai'n fy ngheryddu am beidio â neidio at y cynnig. "Bwyd môr 'te? Mi ddewisa i ar eich rhan chi."

Gwenais a nodio.

Cododd ei olygon ac roedd Nieto wrth ein bwrdd mewn chwinciad. Rhaid fod Nwgeri a Tambo'n cael yr un bwyd ar bob ymweliad.

"Me gustaría dos caracoles por favor … una zarzuela de mariscos … y dos botellas de Sangre de Toro…"

Diflannodd Nieto.

"Mae 'na reswm penodol pam y dois i â chi yma heno."

"O?"

"Igoris…"

Yr eiliad honno fe ges i'r teimlad eto fod gan Nwgeri rywbeth mwy i'w ddweud, a'i fod ar fin ei ddweud o.

Fel pe bai bron â marw eisiau cyfrannu i'r sgwrs, neu efallai i roi cyfle i Nwgeri adfeddiannu'i hun dywedodd Tambo, "Fe fydd eich pryd cyntaf chi, Madam Mair, wedi ei baratoi dan oruchwyliaeth Señor Bofarull ei hun. Caserol wedi bod yn mudferwi am rai oriau, a seigiau o bysgod amrywiol yn cael eu hychwanegu ato ychydig funudau cyn i chi ei fwyta. Mae *zarzuela* Bofarull yn enwog ymhell y tu hwnt i Barcelona!

Cwrteisi a dim arall a barodd i mi wenu ar Tambo.

"Rydw i'n edrych ymlaen yn arw at ei dderbyn a'i fwyta… ond rydach chi'ch dau yn cael rhywbeth arall?"

"Un peth sy'n enwocach na *zarzuela* Bofarull! *Los caracoles* – y malwod! Dyna enw'r *restaurant*. A dyna pam mae Sbaenwyr yn heidio yma."

Dydw i ddim yn credu i Tambo ddweud hynny'n fwriadol i 'ngheryddu am beidio dewis y malwod, ond daeth cysgod o wên dros wyneb Nwgeri.

"Mae pobl yn wahanol, Madam Mair. Mae yna bobl – yn eich rhan chi o'r byd – sy'n gorchuddio pysgodyn mewn blawd a dŵr i'w fwyta, mae yna eraill sy'n mwrdro blas ffiled o gig eidion trwy ei llosgi'n ddu… yma, maen nhw'n bwyta malwod!"

"*Touché!*"

Doedd yna ddim arlliw o frys ar Nieto wrth iddo weini. Digwyddai'r cyfan mor hamddenol.

"Roeddech chi'n dweud bod Igoris yn hoff o'r bwyty yma?"

"Pan fyddai'n gwybod ein bod yn dod i Barcelona, fe fyddai wrth ei fodd."

"Beth oedd yn plesio? Y bwyd, neu'r lle?"

"Y ddau, roedd Señor Bofarull fel ail dad iddo fo, ac fe gewch chi, fel Tambo a minnau, hoff fwyd Igoris fel ein prif bryd… *Tocinillo a l'ast!*"

Roeddwn i'n gobeithio nad malwod oedd o. "Mae'n swnio fel rhost ci defaid!"

"Rhost mochyn sugno! Cracling fydd yn crensian rhwng eich dannedd chi a seigiau gorau a mwyaf blasus Barcelona!"

A ches i mo fy siomi. Wedi bwyta'r malwod a'r bwyd môr, symudodd Tambo i fwrdd y gwarchodwyr i gael ei brif bryd. Ar ein bwrdd ni roedd y sgwrs a'r gwin yn llifo. Fe synhwyrais fod Nwgeri yn ymlacio. Bu'r ddau ohonom yn cymharu Doti ac Igoris. Doti yn mynd i'r ysgol feithrin yna'r ysgol gynradd, Igoris yn cael addysg ffurfiol gan ddau athro a phwyllgor yn y palas brenhinol. Doti hefo Strempan, y gath fawr, flewog, ddu, Igoris hefo Asnoch y mochyn bach anwes. Doti yn cerdded yn fân ac yn fuan am ddau can llath hefo powlen i gael sosej, bins a tjips, ac Igoris yn teithio pedwar can milltir i fwyta malwod a mochyn sugno!

Yn anochel roeddwn i'n disgwyl am symudiad pellach ar ran Nwgeri. Y cam cyntaf oedd cael gwared â Tambo, a phan agorwyd y drydedd botelaid o win fe lefarodd Nwgeri ei frawddeg, ac roeddwn i'n amau ei fod o wedi bod yn ei hymarfer ers hydoedd.

"Mae gen i botel o siampên yn fy 'stafell yn y gwesty... 'stafell 132... dau ddrws i lawr o'ch un chi..."

"Mae gen i lond ffrij o fodca, jin, bacardi... 'stafell 128... dau ddrws i fyny o'ch 'stafell chi..."

Fe gerddon ni yn ôl i'r gwesty fraich ym mraich gyda Tambo'n arwain a'r gwarchodwyr yn cadw rhyw ddecllath y tu ôl i ni. Cyn mynd i 'stafell Nwgeri, fe es i'm hystafell fy hun ac mi gymerais lond ecob o ffisig. Ond roeddwn i'n ymwybodol o gysgod Tambo yn hofran y tu ôl i mi pan es i i'm 'stafell.

Dydd Iau, Awst 12fed

Mair Rhydderch! Pan sleifiaist ti yn ôl i'th 'stafell am bump o'r gloch y bore, roedd yna wên ar dy wyneb di. Ac roedd yr un wên ar dy wyneb di wrth i ti swatio yn unig yn dy wely bach dy hun i ail-fyw yr hyn oedd newydd ddigwydd i ti.

Roeddech chi'ch dau fel anifeiliaid yng ngyddfau eich gilydd. Y munud y caeodd y drws ar eich ôl, fe anghofiwyd am siampên ac roeddech chi'n cusanu'n wyllt. Roeddech chi'n tynnu'ch dillad wrth gusanu, yn ochneidio ymlaen llaw wrth feddwl am yr hyn oedd i ddigwydd, a phan ddisgynnodd Nwgeri fawr, galed, frown ar ben dy gorff noeth di fe gaeaist dy lygaid, ildio a byw i'r foment. Pan afaelodd o yn dy ddwylo di ac ymestyn dy freichiau di ymhell y tu ôl i'th ben a'th foddi di hefo'i gusanau bychain roeddet ti'n ochneidio'n uchel, yn gwybod fod yr argae ar fin torri ac yn cael sesiwn rywiol orau dy fywyd. Nid mwynhau ei hun yn unig yr oedd Nwgeri, ond roedd yn mwynhau rhoi pleser hefyd. Roedd ei amseru'n berffaith. Roeddat ti yng nghwmni meistr yn ymarfer ei grefft. A bu'n ymarfer ei grefft yn ysbeidiol am bum awr...

Doeddwn i ddim eisiau deffro'r bora 'ma, ond roedd gen i fore rhydd – o leiaf roedd yna awr a hanner o'r bore'n weddill! Pan es i lawr i frecwast, roedd Tambo a dau

warchodwr yn eistedd yno. Roeddwn i'n amau eu bod yn aros amdanaf i.

"Mae Nwgeri wedi gadael, Madam Mair. Fe fydda i'n mynd i'w gyfarfod ymhen awr."

"Wedi brecwast, rydw i am fynd i grwydro."

"Fe ddaw Irog a Sile hefo chi."

Mi ges i wydraid o sudd oren a phowlen o rawnffrwyth i frecwast ac fe ddaeth Tambo â phaned o goffi ac eistedd gyda mi."

"Ers faint ydych chi hefo Nwgeri?"

"Erioed... er pan oeddwn i'n dair oed. Fe ges i fy anfon i Valencia am gyfnod cyn dychwelyd yn gynorthwyydd i Nwgeri. Ac rydw i yn y swydd yma ers deng mlynedd."

"Mae o'n lwcus ohonach chi..."

Meiniodd ei lygaid.

"Faswn i'n ei amddiffyn hyd yr eithaf..."

Oedd yna awgrym o gerydd yn y llais?

"Dw i'n siŵr y basech chi."

"Rydw i'n ei nabod o'n well na neb... ond mae 'na newid mawr wedi digwydd yn ystod y flwyddyn ddweutha 'ma..."

"Ers damwain Igoris?"

Nodiodd.

"Ydych chi'n credu mai hunanladdiad oedd o?"

"Mae yna bethau yn digwydd yn ein bywydau beunyddiol sydd yn anodd os nad yn amhosib i'w hegluro a'u deall. Un o'r pethau hynny ydi ceisio deall y meddwl dynol. Weithiau mae'n haws derbyn a dioddef y gwir er cased yw hynny."

"Hunanladdiad oedd o felly?"

"Roedd Igoris yn isel ei ysbryd pan fuodd o farw."

"Sut gwyddoch chi?"

"Roedd Ashahenta, ei fam, yn chwaer i mi."

"*Roedd* hi…?" Yn rhy hwyr cofiais yr hyn a ddywedodd Nwgeri wrtha i.

"Yr anrhydedd uchaf i ferch o'r llwyth ydi cael ei dewis i fod yn fam i aer Nacca Culaam. Ond mae i hynny ei bris. Ar ben blwydd ei mab yn dair oed mae hi'n gwneud yr aberth eithaf…"

"Yn marw? Cael ei lladd? Ond mae hynna…"

"Dyna'r drefn, Madam Mair… mae o'n rhan o'n traddodiad."

Ac yna fe wawriodd y gwir arnaf i. Fe groesodd fy meddwl, tybed oedd a wnelo marwolaeth ei fam rywbeth â marwolaeth Igoris? Oedd o, wedi darllen Pliskinn a'i ddamcaniaethau, am wneud yn siŵr nad oedd yr un aer arall i Nacca Culaam yn mynd i gerdded ei uffern o?

"Ac roeddech chi yn fodlon i'ch chwaer gael ei haberthu?"

"Anrhydedd i'r teulu oedd ei dewis. Dyna'r drefn. Dyna'r traddodiad."

Cerddodd y ddau ohonom yn ôl i gyfeiriad fy 'stafell. Wrth i mi droi i fynd i lawr y cyntedd gafaelodd Tambo yn fy mraich. Edrychodd i fyny ac i lawr y coridor cyn siarad yn bwyllog ac yn dawel.

"Mae 'na bethau nad ydi Nwgeri wedi eu dweud wrthych chi, Madam Mair."

"Fel be?"

Caledodd ei lais. Roedd o'n siarad yn ffyrnig hefo fi. Drwy'i ddannedd. Nid hwn oedd y Tambo a adwaenwn i.

"Mae'r hyn a ddigwyddodd yn y gwesty hwn neithiwr yn groes i draddodiad Nacca Culaam ac yn sarnu enw da y teulu brenhinol. Pe bai'r Bwrdd Cyfrin yn dod i wybod, fe allai'r sgileffeithiau i Nwgeri, pobl Nacca Culaam ac i chithau fod yn bellgyrhaeddol. Yn bellgyrhaeddol iawn…"

"Mae hwnna'n swnio fel bygythiad…"

"Madam Mair, does gennych chi ddim syniad beth ydych chi wedi'i wneud…"

"Mater i mi ydi hynny…"

Rhoddodd ei law ar fy mraich a gafael ynddi'n dynn.

"Os ydych chi'n cario yn eich croth aer Nacca Culaam, nid mater i chi yn unig fydd hynny."

"Fedra i ddim fod wedi beichiogi…"

Ond roedd ei eiriau wedi gyrru iasau o ofn i lawr fy asgwrn cefn. Rhaid ei fod wedi sylweddoli bod yna elfen o ddychryn yn fy llais, oherwydd fe ollyngodd fy mraich ac fe dynerodd ei eiriau.

"Rydw i am ddweud un peth arall wrthych chi, ac fe allai fod o gymorth… Fe ddigwyddodd rhywbeth yn Los Caracoles un tro pan oedd Igoris yn ddeg oed."

"Ydi hynny'n bwysig?"

"I chi ddod i adnabod Nwgeri ac Igoris a'n pobl yn iawn, ydi. Fe ofynnodd Nwgeri i Igoris a oedd o wedi mwynhau'r mochyn sugno yr oedd o newydd ei fwyta, a phan atebodd Igoris yn gadarnhaol, fe ddywedodd Nwgeri wrtho ei fod newydd fwyta Asnoch, ei fochyn anwes."

Doeddwn i ddim yn gwybod beth i'w ddweud. Aeth Tambo ymlaen.

"Fe fuodd Igoris yn crio am ddyddiau. Fe geisiodd Nwgeri ei ddarbwyllo mai rhan o'i baratoi i fod yn frenin ryw ddydd oedd hyn, ond doedd dim cysuro ar Igoris. Rhai dyddiau yn ddiweddarach, fe daflodd ei hun at Nwgeri a dechrau ei ddyrnu. Fe wela i ei ddyrnau bach o rŵan yn taro stumog ei dad, a Nwgeri'n chwerthin yn uchel wrth geisio ei rwystro. Wnaeth Igoris byth faddau iddo."

"Pam rydych chi'n dweud hyn wrtha i?"

"Mae gen i'r syniad mai gennych chi a thrwyddach chi y caiff Nwgeri wared o'r clwyf yma sydd yn gwaedu ei enaid. Ac er mwyn parhad y teulu mae'n rhaid iddo ei waredu. Fe ddylech gael gwybod hefyd, fy mod i yn aelod o'r Bwrdd Cyfrin…"

Wrth ddwyn i gof hanes Igoris a'r porchell, hedodd fy meddwl yn ôl yn syth i'r adeg pan oeddwn innau'n blentyn dengmlwydd. Roedd gan fy nhad gae bychan wrth dalcen y tŷ ac fe brynodd ddwy ddafad i gadw'r borfa i lawr. Fe ddaeth y ddwy – Megan a Mwynwen – yn aelodau estynedig o'r teulu. Byddai Robat Jones Clytai yn caniatáu i'r ddwy fynd i olwg un o'i feheryn unwaith y flwyddyn, a chawn innau'r wefr flynyddol o weld yr ŵyn yn cael eu geni. Yna, wrth gwrs, fe ddeuai'r gwewyr anorfod pan fyddai Robat Jones yn bacio'i fan at y glwyd ac yn mynd a'r ŵyn i'r lladd-dŷ. Byddai Ifan Evans y bwtsiwr yn dod draw drannoeth. Fo fyddai'n prynu'r ŵyn marw. Wedi'u pwyso fe ddeuai acw hefo siec. Fi fyddai'n cael y pres, ac rydw i'n cofio'r euogrwydd rŵan o wthio'r siec yn fy llyfr post ar draws y cowntar a rhyfeddu fel y byddai'r balans yn chwyddo'n sylweddol o'i gymharu â'r bunt neu'r hanner can ceiniog arferol a dalwn i'r cownt. Fedrwn i ddim bod yn llawer hŷn na deg oed ar y pryd, ond dw i'n cofio dwyn y cyfan i gof flynyddoedd yn ddiweddarach wrth astudio un o gerddi Robert Williams Parry – 'Paham y dyliwn wylo uwchben yr hyn sydd raid?' A dyma fi, ddeng mlynedd ar hugain yn ddiweddarach, yn dwyn i gof y gerdd hon eto.

Pam gwnest ti ddwyn i gof yr union linell yna, Mair? Ai oherwydd dy fod ti, y noson y treisiodd Rhodri di, ai oherwydd dy fod ti eisoes yn gwybod beth oedd yn rhaid i ti ei wneud? Ai am dy fod ti'n wylo wrth i ddŵr cynnes y gawod olchi dy gorff di'n lân? Ai dyna pam yr arhosaist ti chwarter awr o dan y diferion dŵr i olchi budreddi Rhodri oddi ar dy gorff. Ai dyna pam roeddat ti'n rhwbio'r sebon mor ffyrnig i bob twll a chornel o'th gorff i gael gwared â'i lysnafedd? Ai dyna pam yr oedaist ti am funudau meithion o flaen drych yr ystafell ymolchi i edrych arnat ti dy hun?

Dw i'n gwybod beth oedd yn dy feddwl di yn Los Caracoles, Mair Rhydderch. Pan welaist ti'r lwmp poeth o saim a chig crimp y mochyn sugno ar dy blât, fe drawodd yn dy feddwl sut y daeth y creadur i fod felly. Roedd 'na rywun yn rhywle wedi hongian y bwndel bach aflonydd gerfydd ei goesau ôl uwchben bwced. Roedd 'na rywun wedi gwthio cyllell finiog i wythïen yn ei wddf ac roedd yntau wedi bod yn plycio am rai munudau tra oedd ei fywyd yn diferu i fwced yn fudr-goch. Ac i beth? Er mwyn i ti, a Nwgeri a'ch tebyg gael glafoerio uwchben cracling... Ac fe brociodd y darlun hwnnw o borchell aflonydd dy gof di, yn do?

Roedd Rhodri'n gorwedd yno ar wastad ei gefn yn rhochian fel mochyn, a'i fraich dde yn ymyl ei wyneb a'i fraich chwith yn hongian dros erchwyn y gwely. Roedd o'n cau ac agor dwrn ei law dde, y dwrn hwnnw a blannodd yn fy wyneb lai nag awr yn ôl. Y dwrn yna a ddaliai'r belt a'm trawodd dro ar ôl tro. Y dwrn yna a ddaliai garn y gyllell a rwygodd y dillad oddi ar fy nghefn. Cysgai gwsg meddwyn, a gwyddwn na fyddai'n deffro tan y bore. Ar lawr yn ymyl y gwely roedd ei felt a'r gyllell. Dim ond un peth oedd yn fy meddwl. Rhaid i hyn stopio. Heno. Rŵan. Llyfais fy ngwefusau, yn araf ac yn fwriadol. Roedd blas y ffisig yn dal yn fy ngheg. Rŵan, yn yr ystafell wely hon, roedd hyn yn stopio. Rhag iddo, ryw noson feddw arall, amharu ar Doti. Pan ddaeth y darlun hwnnw i'm meddwl wnes i ddim oedi rhagor.

Es at ochr y gwely ac estyn y gyllell. Wnes i ddim aros i holi fy hun oeddwn i'n gwneud y peth iawn. Gafaelais yn y gyllell â'm dwy law a phenlinio ar y gwely wrth ei ochr. Fe blennais y gyllell ar ei hunion i'w fynwes. Un gwaniad egr a diflannodd y llafn i'r cnawd meddal. A gollyngais ei charn. Agorodd ei lygaid mewn syndod. Roedd o'n edrych yn syth arnaf i. Roedd y ddwy lygad yn edrych yn ymbilgar ac yn greulon arnaf i. Yna edrychodd ar garn y gyllell. Ceisiodd godi a dechreuodd ei ddwy law a'i freichiau ysgwyd, yna syrthiodd yn ôl ar y gwely, a'i lygaid ynghau, a bu'n llonydd. Roedd o wedi dioddef am eiliadau yn union fel y bûm i'n dioddef ers misoedd lawer...

Mi es i lawr y grisiau i wneud paned o de. Roedd hi'n ddau o'r gloch y bore ac roeddwn i'n gwbl hunanfeddiannol. Roeddwn i'n gwybod yn iawn beth roeddwn i newydd ei wneud, ac roeddwn i'n gwybod yn iawn hefyd beth i'w wneud nesaf.

Roedd y cyfan mor afreal, fel pe bawn i wedi cael fy nal yng ngwe rhyw freuddwyd ffantasïol oedd wedi troi'n hyll o real.

Fe feddyliaist ti'n galed am ffonio'r heddlu a chyfaddef y cyfan, yn do Mair? Fe gaet ti bob cydymdeimlad. Wedi'r cwbl, onid oedd Kate yn gwybod am dy ddioddefaint? Ac onid oedd marciau'r noson honno yn dal ar dy gorff? Ond roedd gen ti gynllun arall, yn doedd Mair? Dy ofn mawr di oedd y byddet ti'n colli Doti. Beth wnâi Doti fach petai'i mam yn cael carchar?

Est ti ddim i'th wely'r noson honno. Fe est ti'n ôl i'r llofft i nôl dy gamera polaroid. Fe est i'r 'stafell ymolchi, diosg dy ddillad a, chan ddefnyddio'r drych, fe dynnaist ddeuddeg llun o'r cleisiau a'r gwrymiau a'r clwyfau oedd ar dy gorff. Ac fel awdur cydwybodol, fe fuost ti'n sgwennu'r hanes, air ar ôl gair, brawddeg ar ôl brawddeg, paragraff ar ôl paragraff, yn gronolegol oer. Yna rhoi'r cyfan mewn amlen a'i selio – jyst rhag ofn. Fe allet ti ei chuddio yn y tŷ, neu fynd â hi i'w chadw yn y banc neu swyddfa cyfreithiwr – jyst rhag ofn.

Ac yn Los Caracoles fe wibiodd y cyfan yma'n un rhuban drwy dy feddwl di. Ond dwyt ti ddim yn euog. Wnest ti erioed, am eiliad hyd yn oed, deimlo euogrwydd am ladd Rhodri. Rwyt ti'n ddieuog. Yn ddieuog. Yn ddieuog.

Mair Rhydderch! Pam na wnei di sgwennu yr hyn sydd yn dy feddwl di? Pan oeddet ti'n blentyn roedd dy deulu di yn prynu'ch cig i gyd gan Ifan Evans y bwtsiwr. Tybed a fuost tithau'n llarpio'r cnawd roeddet unwaith yn ei fwytho? Edrych ar y ffotograff o Igoris, rŵan, Mair. Edrych yn ddwfn i'w lygaid a dywed wrthyt ti dy hun lygaid pwy a weli di. Ai llygaid Rhodri? Ai llygaid Mair Rhydderch? Awdures ddosbarth canol euog?

DYDD GWENER AWST 13EG

RWYT TI'N EDRYCH ar lun Igoris rŵan, Mair Rhydderch, ac wrth syllu i ddwfn y llygaid duon rwyt ti'n gofyn 'Beth ydi dy gyfrinach di, Igoris? Fuost ti'n dychmygu sut farwolaeth fuodd un Asnoch? Fuost ti'n dychmygu'r gyllell yn suddo i'r cnawd cynnes, meddal?' Mae yn dy gof dithau ddarluniau byw hefyd.

Roedd rhaid i mi gael gwared â chorff Rhodri cyn i Mam ddod â Doti adref. Ond roedd o'n rhy drwm i mi ei gario. Gallwn fod wedi ei lusgo i'r ardd, ond golygai hynny gloddio bedd. Ond roedd gen i gyllell, a phan es i allan i'r sied fe estynnais lif a bwyell...

Cyn i gloc y cyntedd daro saith roedd gen i ddeg o sachau plastig duon yn y garej. Ac yn y rheini roedd darnau o gorff Rhodri ynghyd â'r cynfasau gwlybion. Golchais y llif a'r fwyell a'r gyllell yn lân a'u cadw. Roeddwn i eisoes wedi penderfynu mai fesul sachaid yr awn â gweddillion Rhodri i doman byd. Ond roeddwn i am gladdu'i ben yn y tŷ gwydr. Pe bawn i angen cadarnhad unrhyw amser ei fod o wedi mynd am byth, doedd dim angen i mi wneud yr un dim ond gafael mewn fforch neu raw a chloddio o dan y tomatos. Y peth olaf a wnes i oedd selio'r lluniau lliw ohonof fy hun a'r llith mewn amlen a'i gwthio i gwpwrdd pendil y cloc mawr. Wedyn roeddwn i wedi cael gwared â Rhodri am byth.

Ac roedd gen i'r esgus perffaith dros ei ddiflaniad. Fe es at Kate, a dangos iddi'r hyn roedd Rhodri wedi'i wneud i mi. Fe ddywedais wrthi fy mod wedi ei fygwth, a dweud y byddwn yn mynd at yr heddlu os na fyddai'n gadael y bore hwnnw a byth yn dychwelyd. Ac fe ddywedais wrthi ei fod wedi gadael am Ddulyn gydag addewid na ddeuai byth yn ôl. Soniais i'r un gair wrthi am fy llafnwaith. Soniais i'r un gair wrthi...

A dyna ti, o'r diwedd, wedi carthu Rhodri o'th fywyd. O'r diwedd rwyt ti wedi cael trefn ar bopeth ac wedi cael ysgrifennu'r hanes yn union fel y digwyddodd o. Rwyt ti rŵan yn barod i symud ymlaen. Wedi cau pen y mwdwl ar ffeil Rhodri, wedi clymu'r cyfan yn fwndel taclus, lapio rhuban pinc amdano a'i selio am byth. Ddaw o ddim yn ôl mwy. Ddaw o byth yn ôl mwy. Mae o wedi mynd. Hunllef oedd ei fynd a'i ddŵad i'th fywyd di. Fe gei di rŵan ganolbwyntio ar y presennol.

* * *

Mae gen i ddeuddydd i orffen casglu pethau ynghyd. Deuddydd yn unig i greu braslun i Nwgeri. Deuddydd i fyfyrio dros eiriau iasoer Tambo.

Deffro o drwmgwsg wnes i, ac roeddwn i'n laddar o chwys. Tambo!

Ai Tambo oedd yr allwedd i hyn i gyd? Oedd o wedi clywed y dadlau a fu rhwng Igoris a Nwgeri? Oedd o'n ymwybodol o fwriad Igoris i newid y traddodiadau a moderneiddio Nacca Culaam? Onid oedd o'n aelod o'r Bwrdd Cyfrin? Onid oedd o wedi gadael i'w chwaer ei hun farw wedi iddi gyflwyno aer i'r pennaeth? Ac fe wibiodd i'm meddwl yr hyn a ddywedasai Nwgeri wrthyf ger y gornel angeuol yn Cap Roig. Tambo oedd wedi goruchwylio archwiliad car Igoris. Os mai penderfyniad aelodau y Bwrdd Cyfrin oedd cael gwared ar Igoris oherwydd ei syniadau... Arglwydd Mawr! Oni olygai hynny fod yn rhaid i Nwgeri gael aer arall? A daeth geiriau Tambo yng nghyntedd Hotel de Monte Carlo yn ôl i mi: 'Os ydych chi'n cario aer Nacca Culaam yn eich croth, nid mater i chi yn unig fydd hynny.'

Ac rwyt ti newydd weld llun ohonat dy hun, Mair Rhydderch, yn cael dy aberthu mewn tair blynedd a naw mis...

Mae gen i fyrdd o bethau i'w hysgrifennu eto am heddiw – gwario pres Nwgeri fel ffŵl; ymweld â rhyfeddodau Barcelona; a'r siwrnai'n ôl i Nacca Culaam. Ac roedd gweld Nwgeri am y tro cyntaf ers neithiwr yn gwneud i mi deimlo fel pe bawn i'n ôl yn fy arddegau... y ddau ohonan ni'n edrach ar ein gilydd a gwenu fel myncwns... ond fe ga i gofnodi hynna 'fory. Fe goda i'n gynnar, gynnar i sgwennu hynna i gyd bore 'fory. Fe gaiff Igoris aros am y tro.

Rŵan, rydw i wedi blino'n dwll. Os ydi Rhodri wedi mynd mae 'na ddyn arall wedi dod yn ei le. Ffisig i gysgu heno. Llond dau ecob. Rŵan.

DYDD SADWRN, AWST 14EG

FE FYDDI DI, MAIR RHYDDERCH, yn cofio'r dydd heddiw am weddill dy fywyd. Ac nid yn unig yr eiliadau, y munudau, a'r oriau roeddet ti yn ymwybodol ohonyn nhw, ond y gweddill hefyd. Y gweddill hynny nad wyt ti'n ymwybodol ohonyn nhw nes y byddi di'n ail-fyw dy ddiwrnod – eiliad wrth eiliad – a does yna ddim llawer o ddyddiau felly yn ystod dy fywyd yn nac oes? Rŵan mae gen ti dri. Diwrnod marw Arwyn. Diwrnod lladd Rhodri. A heddiw.

Bron nad awn i ar fy llw 'mod i'n gwybod am beth amser cyn i mi ddeffro bod yna rywbeth erchyll wedi digwydd. Mae yna fys yn yr isymwybod sydd wastad yn hofran ar drigar ofn. Ac yn sicr pan glywais i'r curo trwm, cyson ar y drws a llais awdurdodol Nwgeri yn galw fy enw, fe wyddwn nad newyddion da oedd ganddo. Roedd y bys wedi tynnu'r trigar, y morthwyl wedi disgyn yn glewt ar ganol plât pres y fwled, y powdwr wedi ffrwydro a phelen blwm, sicr ei hanel, yn chwibanu dod yn syth tuag ataf i.

"Madam Mair! Madam Mair!"

Fe wibiodd pob mathau o bethau drwy fy meddwl.

Ddaeth 'na ddarlun i'th feddwl o weithwyr y cyngor yn symud rhan o domen byd ac yn ffendio bagiau duon a'r rheini'n dal darnau o gorff Rhodri? Neu dy fam, druan, hoffus yn penderfynu rhoi help llaw i ti yn y tŷ gwydr, a phalu rhyw gymaint rownd y planhigion tomatos? Gwthio fforch i'r pridd a tharo rhywbeth caled...

Agorais y drws a daeth Nwgeri i'r ystafell. Rhoddodd ei ddwy law ar fy ysgwyddau ac edrych i fyw fy llygaid i hefo'i lygaid gloywon ei hun a dweud mewn llais cwbl ddiemosiwn,

"Mae 'na ddamwain wedi digwydd, ac mae gen i newyddion drwg iawn i chi."

"Damwain! I bwy?"

Ond roedd Nwgeri fel hen weinidog Methodist. Yn bwyllog, ac yn ceisio gadael i mi ddyfalu'r gwaethaf cyn iddo fo ei ddweud.

"Damwain feic..."

"Naaaaaaaaaaaa!"

Rydw i'n gwybod i mi roddi un sgrech hir, fain, cyn syrthio'n anymwybodol i'r llawr.

Yn dy ben di y mae'r cyfan, Mair Rhydderch. Unrhyw funud rŵan fe fyddi di'n deffro ac yn ffendio mai hunllef ydi'r cyfan. Y drafferth hefo ambell i hunllef ydi fod eiliadau yn ymddangos fel oriau. Rwyt ti bron â marw eisiau deffro. Gwneud i ti dy hun ddeffro. Rwyt ti eisoes wedi cysuro dy hun mai hunllef ydi hon. Gwaedda arnat ti dy hun, Mair Rhydderch. Gwaedda.

"Ffoffycsêcs! Deffra, Mair!"

Pan ddois i ataf fy hun roeddwn i'n gorwedd ar fy ngwely ac roedd Tambo a Nwgeri yn fy ymgeleddu. Edrychais yn ymbilgar i lygaid Nwgeri gan chwilio am lygedyn o obaith nad oedd yr hyn a ddywedodd yn wir, ond ysgydwodd ei ben. Roedd ei lygaid yn dweud y cyfan.

"Fe gafodd Doti ddamwain ar ei beic. Car yn bwrw iddi hi. Fe gafodd ei lladd ar ei hunion. Fe gewch chi ffonio pan fyddwch chi'n teimlo fel gwneud hynny."

Fedrwn i ddim crio. Roeddwn i'n gwbl ddiemosiwn. Doedd realaeth ei eiriau ddim wedi suddo i'r isymwybod eto. Pan fu farw fy nhad, rydw i'n cofio fy mod i'n berffaith iawn am rai dyddiau. Ond Doti? Doti fach wedi marw? Wedi cael ei lladd?

Mae dy ddychymyg di'n rhemp, Mair Rhydderch. Rwyt ti eisoes, yn llygad dy ddychymyg, yn gweld cnawd a gwaed a gïau ac asgwrn yn addurno bympar a lamp. Yr un cnawd ag a oedd yn blastar ar goeden pan fu farw Arwyn. Yr un math o gnawd a gwaed a gïau ac asgwrn ag a oedd yn hedfan o gwmpas dy 'stafell wely di a Rhodri pan oeddet ti'n cyflawni dy lafnwaith. Ond mae 'na wahaniaeth y tro hwn yn does? Nid Rhodri meddw, caled, cas sy'n deilchion o dan draed, ond Doti wirion. Ond y ti ydi'i llofrudd hithau hefyd, Mair Rhydderch. Yn union fel y defnyddiaist ti gyllell fara i ladd a darnio corff Rhodri, fe ddefnyddiaist ti feic sgleiniog, newydd sbon i ladd Doti. Oedd hyn yn rhan o'th gynllun dieflig di, Mair Rhydderch? Ai dy gynllun ehangach di oedd cael gwared â Rhodri a Doti, a symud i Affrica a Sbaen i'w lordio hi fel brenhines weddill dy oes?

Mae Doti wedi marw. Mae Arwyn wedi marw. Mae Doti ac Arwyn wedi marw. Mae Doti wedi marw. Roedd y geiriau yna yn mynd rownd a rownd yn fy mhen i. Ac roedd y newyddion yn dechrau treiddio. Fe ddaeth Nwgeri â rhyw drwyth i mi, a gorchymyn i mi ei yfed. Wedi drachtio'i chwerwedd, teimlwn fy hun yn llithro i drwmgwsg. Trwmgwsg hir a braf.

Rwyt ti'n ail-fyw yr amseroedd da, Mair Rhydderch. Mae pawb sydd wedi dod â hapusrwydd i'th fywyd di yn hel o'th amgylch. Mae Arwyn yma yn ei siwt briodas. Mae

Rhodri yma yn y trowsus cwta a brynodd o yn Corfu. Ac mae Doti fach yma, yn sblasho yn y bàth a'r pwll. Yn gorwedd yn ei chòt a'i choets. Yn cicio wrth i ti newid ei chlwt. Yn crio wrth i ti olchi'i gwallt... Ac mae Igoris yn edrych i fyw dy lygaid. Ffotograff ydi o? Ie? Nage! Ffotograff sy'n dod yn fyw ydi o. Un munud mae'r llygaid duon dyfnion yna'n llonydd, a rŵan maen nhw'n llawn bywyd. Mae Igoris ar fin dweud wrthat ti beth yw ei gyfrinach. Beth yw cyfrinach y freuddwyd berffaith. Edrych ar ei lygaid yn chwerthin arnat ti. Fe ofynnaist gwestiwn iddo. 'Beth yw dy gyfrinach di, Igoris?' Rŵan mae o am dy ateb. Weli di'r llygaid yna'n meinio. Yr wyneb yn lastigeiddio wrth i'w geg ledu yn wên, yn barod i'th ateb. Edrych ar ei geg, Mair Rhydderch, a gwranda ar ei eiriau. Be mae o'n ei ddweud? Beth! "... yn sblasho yn y bàth a'r pwll, yn gorwedd yn ei chòt a'i choets, yn cicio wrth i ti newid ei chlwt, yn crio wrth i ti olchi'i gwallt... yn gorwedd yn farw-noeth ar fasn gwyn glân sy'n sgleinio fel ei beic."

Ond mae o'n wir, Mair. Mae Doti wedi marw. Roedd o ar y newyddion chwech heno...

> 'Cafodd y ferch a laddwyd ddoe mewn damwain ger ei chartref ei henwi. Roedd Doti Rhydderch yn saith mlwydd oed, ac yn ferch i'r awdures, Mair Rhydderch. Mae Mrs Rhydderch ar ei ffordd adref o Affrica...'

* * *

"Mam?"
"Mair!"
"Be ddigwyddodd, Mam? Be ddigwyddodd?"

"Fe aeth hi o 'mlaen i... fedrwn i mo'i dal hi..."

Y gweinidog aeth ymlaen â'r sgwrs.

"Ellis Jones yma, Mrs Rhydderch. Ddrwg iawn gin i... ddrwg iawn gin i. Ma' Mrs Jones a minnau yma'n cadw cwmpeini i'ch mam..."

"Mi fydda i adra rhyw ben, Mr Jones... yn o fuan. Ga i siarad eto hefo Mam?"

Does gen i fawr o syniad beth oedd cynnwys gweddill y sgwrs, a does gen i fawr ddim cof o bacio 'nillad a hel fy mhapurau yn barod am y daith adref.

Cyn i mi adael fe roddodd Nwgeri amlen yn fy llaw.

"Yr ail daliad..." meddai, gyda gwên wan ar ei wyneb.

Yr eiliad honno doedd arian Nwgeri yn cyfrif yr un dim i mi. Gallai fod wedi rhoi miliynau yn fy llaw a byddwn wedi dweud wrtho am eu stwffio. Eu stwffio i fyny twll ei din.

"Fe allen ni ddod i drefniant mwy parhaol... pe bai hynny'n ddymuniad gennych chi..." ychwanegodd yn gloff. Gafaelodd yn fy llaw a'm tynnu fymryn yn nes ato, "...meddyliwch o ddifri am y peth... fe allech chi adael eich gwaith yng Nghymru... dod ataf i yma... bod yn rhan o ddyfodol Nacca Culaam..."

Pytiog oedd ei frawddegau, fel petai'n araf adeiladu ei hyder i ddweud rhywbeth arall, ond yn osgoi dweud hynny. Na, efallai nad osgoi, ond methu cael yr union eiriau i fynegi ei hun, ac roedd yna bob mathau o bethau yn gwibio trwy fy meddwl innau wrth iddo siarad. Gallwn ddychwelyd yma a darparu aer newydd sbon iddo fo. Mi allwn i fyw yn hapus am dair blynedd. Mi allwn i wedyn gael fy arwain a'm tywys i'm tynged.

'Beth ydych chi'n 'wneud hefo mam eich aer ar ei ben blwydd yn dair oed, Nwgeri?' Dyna roeddwn i eisiau ei ofyn iddo fo. 'Ydych chi'n ei harwain i lecyn mewn coedwig, yn gosod pwced gloyw o dan ei phen ac yna'n ei hongian ben-ucha-isa a stwffio twca i'w gwythïen fawr?'

Pan fethodd gario 'mlaen, roeddwn i'n ceisio llunio ateb amwys fy hun, ond wyddwn i ddim beth i'w ddweud. Oedd o'n fwriadol yn fy rhoi i dan bwysau? Minnau yn fy ngwendid? Roedd yn swnio felly. 'Y bastard!' Dyna a wibiodd i'm meddwl, nes i mi edrych i fyw ei lygaid. Roedden nhw'n llenwi.

A than deimlad fe ddywedodd, "Nid rŵan ydi'r amser... mae'n ddrwg gen i... mi fûm yn ffôl ac yn fyrbwyll..." Edrychodd tua'r llawr gan ysgwyd ei ben. "Efallai, Madam Mair, mai Igoris oedd yn iawn..."

Cododd fy llaw at ei wefusau a chusanodd hi'n ysgafn. "Fe gysyllta i â chi ymhen wythnos neu ddwy," meddai. "Siwrnai dda i chi adre, fe fydda i'n meddwl amdanoch chi..." Troes ar ei sawdl a cherddded at ei 'stafell.

A dyna'r tro olaf i mi ei weld.

Wel, Mair Rhydderch, dyna sodro'r llwynog yn y cwt ieir! Wnest ti ddim camddeall hynna, naddo? Dyn yn ei oed a'i amser fel fo! Dyn sydd fel arfer yn llawn hyder ac awdurdod yn methu'n druenus! Rwyt ti wedi dod i'r casgliad mai cynnig dy briodi di roedd o yn dwyt? Ei fod o'n cynnig cysur a lloches a sicrwydd i ti am weddill dy oes? Beth sy'n mynd trwy dy feddwl di rŵan? Gweld dy hun mewn ugain mlynedd? Y fo a thi ar noson erwin o aeaf fel Siôn a Siân o boptu'r tân yn siarad am golli'ch plant? Y fo yn tynnu am ei bedwar ugain oed a thithau bron yn drigain! Neu wyt ti'n gweld dy hun fel Rhodri a Doti ac Arwyn, yn eistedd ar gymylau gwynion yn gwylio'r byd yn mynd â'i ben iddo?

Pam na fyddi di'n hunanol a derbyn ei gynnig gydag

amodau? Dim byw yn Achlasaam. Dim plant. Oes gen ti ofn mai tegan dros dro fyddi di iddo fo? Ond os cei di swm o bres misol, ei roi o'r neilltu... Byw'r bywyd bras am gyfnod, ac os digwydd yr anochel... o leiaf fe fyddi di'n gysurus dy fyd? Ac os bydd o farw'n sydyn, fe fyddi di'n weddw unwaith eto, ond y tro hwn fe fyddi di'n weddw gyfoethog! Ac fe gei di wneud fel y mynnot â gweddill dy fywyd. Ydi'r syniad yn apelio? Neu ydi geiriau Tambo wedi taflu dŵr oer ar y syniad am byth?

Ymhen awr, roeddwn i'n ymadael yng nghwmni Tambo am y maes awyr. Tawedog oedd y siwrnai honno, ar wahân i'r filltir olaf.

"Roedd Nwgeri'n ymddiheuro na fedrai ddod, Madam Mair."

"Dallt yn iawn..."

"Fe fydd yn chwith i ni hebddoch chi..."

"Rydw i wedi mwynhau..." Gwyddwn yn syth mai celwydd oedd hynny.

Galwodd Tambo ar ddau ŵr i lwytho fy nghesys i'r awyren ac wrth i mi ffarwelio â fo estynnodd becyn bychan i mi.

"Y peth olaf rydw i i fod i'w wneud wrth ffarwelio ydi rhoi hwn i chi," meddai.

Rhoddais y pecyn yn fy mag a gafael yn dynn am Tambo. "Cym'rwch ofal, Tambo." A chyn i mi ychwanegu "Mae Nwgeri'n ddyn lwcus o gael person fel chi..." roedd o eisoes yn cerdded yn ôl at y car.

Cododd ei law unwaith cyn camu i sedd y gyrrwr, cau'r drws a gyrru ymaith.

Â chalon drom yr esgynnais y grisiau i'r awyren, cerdded i'm sedd a suddo iddi.

Mae Doti yn ei harch a minnau filoedd o filltiroedd

oddi wrthi. Ymhen ychydig fe fydda i yn yr awyr a bwlch y milltiroedd rhyngom yn cau fesul pum cant yr awr. Ac wedi'r glanio yn Llundain, fe fydd yna siwrnai drên. Wedyn. Wedyn? Wedyn, fe fydd yna adrodd stori. Ailadrodd stori. Trydydd a phedwerydd adrodd stori. Adrodd yr un stori hyd at syrffed. Ysgwyd dwylo. Cusanu ar y boch. Cwtsho'n dynn. Dwylo caled a dwylo meddal. Dwylo cadarn a dwylo llipa. Bydd llond y tŷ o wynebau hirion, wynebau gwlybion, ac wynebau gwelwon. Llygaid llaith, llygaid cochion, llygaid duon – a phob pâr yn diferu o gydymdeimlad. Fe fydd yna grio. Ac fe fydd yna eiriau: 'Methu dallt y peth!' 'Fel 'na mae.' 'Dyna'r drefn.' 'Mae'n arw gen i drostach chi.' 'Mi ddowch, w'chi!'

Ac wedi'r cyfan, fe fydd yn rhaid i mi fynd i olwg yr arch.

Pe bawn i'n medru gohirio unrhyw beth, dyna fyddai'r peth hwnnw. Fe fyddwn i'n fodlon dioddef rhaeadrau o ddagrau, dioddef gwrando ar yr union eiriau drosodd a throsodd hyd at syrffed pe cawn i osgoi'r eiliad yna. Yr eiliad pan fydda i'n agor drws y parlwr ac yn gweld yr arch am y tro cyntaf. Gweld Doti fach yn ei harch. Y llygaid gleision ynghau. Gweld arian byw yn llonydd.

Wrth estyn am ffunen boced yn fy mag y gwelais y pecyn a ges i gan Tambo yn y maes awyr. Wedi ei agor, fe ges i sioc. Ynddo roedd modrwy a llythyr, Doedd dim angen i mi graffu ar y fodrwy i wybod ei bod yn un ddrudfawr a gwerthfawr.

Yn betrusgar yr agorais y llythyr a dechrau darllen:

Mae fy nghalon yn gwaedu drosoch, Madam Mair. Yn ystod yr ychydig ddyddiau y deuthum i'ch adnabod fe sylweddolais fy mod yng nghwmni rhywun arbennig iawn, ac nid â'n hymweliad â

Barcelona byth o 'nghof. Carwn pe baech yn derbyn y fodrwy hon fel arwydd o'm cyfeillgarwch a'm parch atoch – a dim mwy. Mae yna lawer yr hoffwn ac y medrwn ei ddweud wrthych, ond nid dyma'r amser i hynny, ac ymddiheuraf i chi am i mi fod mor drwsgl wrth ffarwelio â chi. Bûm innau drwy'r un math o brofiad pan gollais Igoris a gwn na fydd y dyddiau na'r wythnosau nesaf yn rhai hawdd i chi. Gofid i mi yw na fedraf fod wrth law i gynnig math o gysur i chi. Ond fe fyddaf yn meddwl amdanoch bob awr o bob dydd.

Ydwyf,
Nwgeri

DYDD SUL, AWST 22AIN

Y LLYGAID YW FFENESTRI'R ENAID, Mair Rhydderch, a thrwyddyn nhw fe welwn ffydd, ewyllys a goleuni deall.

Os byddi'n breuddwydio am golli dy ddwy lygad, bydd dy deulu dan fygythiad, byddi'n cyflawni pob math o weithredoedd erchyll ac ni fyddi byth yn dangos owns o edifarhad.

Os byddi'n breuddwydio am golli un llygad fe fydd aelod agos o'th deulu'n marw'n sydyn.

Os byddi'n breuddwydio y cei dy aflonyddu gan bâr o lygaid sy'n rhythu arnat ti'n dragwyddol, mae hyn yn arwydd da.

Ond rwyt ti'n ddall, Mair Rhydderch, rwyt ti'n ddall!

Mae 'nwylo i'n crynu wrth sgwennu hwn, ac mae'n bosib mai'r rhain fydd y geiriau olaf y bydda i'n eu hysgrifennu byth. Mae popeth ar ben. Mae pob gair wedi ei ddweud a phob gweithred wedi ei gwneud. Does yna'r un dim ar ôl i mi. Rydw i'n teimlo'n ddiymadferth. Isho gollwng fy hun i fynd. Isho marw. Gorwedd ar lawr, ar y soffa, ar y gwely, gorwedd yn unrhyw le a gollwng fy hun i'r anwybod mawr. Mi fedrwn i fyw hefo Rhodri'n fy waldio, mi fedrwn i fyw hefo'r hyn a wnes i iddo fo. Ond fedra i ddim byw heb Doti. Fi oedd piau Doti, o'r foment y dechreuodd hi egino yn fy nghroth i. Fe fedra i rŵan aildeimlo pob un symudiad a phob cic a ges i ganddi hi hyd at ei genedigaeth; mi fedra i restru pob un briw a salwch a gafodd hi; mi fedra i adrodd pob un stori a ddarllenais iddi; ac mi fedrwn i rŵan, ar y ddalen hon, ddisgrifio'n fanwl bob archoll a adawodd y basdad gyrrwr meddw yna ar ei chorff hi.

Mair!

Na! Tydw i ddim yn gwrando arnat ti mwyach! Dwyt ti'n cyfrif dim i mi bellach. Pam ddiawl sydd rhaid i mi na neb ymateb i lais tragywydd rhyw gydwybod coch? Mi sgwenna i fel a fynnaf.

Medra, mi fedra i ddisgrifio'n fanwl i ti bob un archoll a adawodd car y ffycin dyn yna ar gorff fy merch, a fedri di na neb arall ddileu y graith ar gnawd y cof. I mi y perthyn popeth. Fy mywyd i ydi o. Y fi sydd wedi'i fyw o. Yn bymtheg ar hugain oed mae fy rhawd wedi'i rhedeg. Daeth awr i fynd i'th weryd...

O gallwn, mi allwn i ddychwelyd at Nwgeri a'i ffeindio fo yn ddim amgen na Rhodri arall – neu waeth? A sut fyw fyddai byw gyda Nwgeri? Byw estron? Y ddau ohonan ni'n byw yn y gorffennol.

Artaith fyddai ceisio ysgrifennu hanes bywyd Igoris, oherwydd sgwennu am Doti y byddwn i. Bywyd Doti a'm heuogrwydd innau fyddai calon y llyfr ac nid teyrnged i fab Tywysog Nacca Culaam.

Wrth geisio dychmygu fy hun yn yr Amlosgfa y trawodd o fi. Mi fedra i losgi corff briwedig Doti fach ond fedra i ddim llosgi'r atgofion. Mi fydd y rheini wedi eu serio ar fy nghof i am byth. Tra bydda i, fe fyddan nhw. Mae yna gannoedd ar gannoedd o ffotograffau yn y tŷ yma. Pob un ohonyn nhw yn rhewi eiliad am byth. Mae gen i gannoedd o luniau o Doti wedi eu rhewi...

yn gwenu'n gam, yn chwerthin yn hapus, yn wylo'n hidl. Ond mae Doti wedi mynd am byth. Llwch ydi Doti mwy. Wedi ei llosgi'n golsyn, ei chnawd wedi ei rostio fel Asnoch. Ei bywyd bach yn chwedl yng nghof un.

Bob tro y bydda i'n edrych ar ei ffotograff, wyneb Doti wedi marw fydd yn dod i'm meddwl. Wyneb marw'n cael ei losgi. Hwnnw, hardd, yn toddi fel gwêr cannwyll. Ei hwyneb yn cael ei ystumio a'i ysu gan y fflamau tân. Ei ystumio, ei newid a'i droi'n llwch. Llwch y bydd chwa o awel y Carneddau yn ei chwalu am byth i'r pedwar gwynt. A bydd llwch Doti ac Arwyn yn un.

Bu'n rhaid i mi estyn y llyfr unwaith eto.

Yr un emyn fydd o.

Yn angladd Arwyn roeddwn i'n dychmygu mai canu am Arwyn roeddwn i yn y pennill olaf.

'Ac yna caf fod gydag ef
Pan êl y byd ar dân
Ac edrych yn ei hyfryd wedd
Gan harddach nag o'r bla'n.'

Ac mi glywn lais Arwyn yn dweud, "Gwranda ar yr angerdd yna, Mair! Dw i'n deud wrthat ti, yr hen Bant a'i Waredwr ydi stori garu fwyaf llenyddiaeth Gymraeg!"

Be wn i am garu? Rydw i wedi ca'l tri dyn mewn saith mlynedd – mae 'na wragedd wedi bod hefo'r un un am saith deg!

A rŵan, dw i'n gorfod agor y blydi llyfr yma eto. Ei agor o am fod Doti wedi marw. Fedra i ddim taflu'r baich yma oddi ar fy ngwar. A fydd yr euogrwydd yma byth yn troi'n ganu. Byth bythoedd. Oherwydd mae Doti wedi mynd. Wedi mynd. Am byth.

Ond dwyt ti ddim yn gwbl siŵr o hynny, yn nac wyt,

Mair? Fe ddaeth yna ddarlun i'th feddwl o'r arch yn cael ei hysu gan y fflamau, a dyrnau bychain Doti wrthi'n ceisio codi'r caead, ac yn sgrechian ar ei mam am achubiaeth. Dyrnau bychain yn waldio. Yn union fel yr oedd dyrnau Igoris yn waldio stumog ei dad am ladd Asnoch. Y brotest eithaf, olaf. Mae yna rywbeth yn dal ynot ti sy'n gwrthod gollwng, ac fe fydd y peth hwnnw hefo ti am byth. Tra byddi di, fe fydd dy gof di'n mynnu gafael yn ddiollwng mewn un llafn o obaith mai dros dro yw hyn. Y gweli di dy Ddoti eto'n iach. Dyna ydi bywyd tragwyddol, Mair Rhydderch. Bod daearol yn gafael yn y gobaith mai breuddwyd yw byw, a bod yna ddeffro i ddigwydd ryw ddydd. Mi fyddi di'n glynu wrth y gobaith yna tra byddi di'n parhau.

Rŵan, i mi, parhau sy'n ddibwrpas. Ein hunig bwrpas ni i gyd yn hyn o fyd ydi magu plant. Wedi hynny, mae'n defnyddioldeb ni wedi'i dreulio. Wedi went. Tydan ni yn dda i ddim arall. Be wna i? Byw i ddial ar yrrwr meddw? Deffro bob bore yn llawn casineb tuag at bawb a phopeth?

Mae amgenach ffordd.

Mi fedra i biciad i'r siop gemist. Nôl tabledi, neu rasal a gorffen y cyfan mewn ychydig eiliadau neu funudau. Mi allwn i ddreifo i fan unig a sdicio peipan o'r egsôst i mewn i'r car a gorffen popeth felly. Mi allwn gerdded i lawr i'r Morfa ar benllanw a cherdded i ganol y tonnau. Ond does dim rhaid i mi adael y tŷ.

Mi fedra i ddringo ysgol yr atig, clymu un pen i'r rhaff am fy ngwddw a'r pen arall wrth ddolen ddur y drws a chael dihangfa am byth. Os oedd o yn fy mhen i wthio llafn chwe modfedd i galon dyn roeddwn unwaith yn ei garu a'i gofleidio, siawns nad chwarae plant fyddai crogi fy hun? Tri munud a gymerai'r cyfan. Estyn y rhaff; clymu un pen yn sownd yn nolen drws yr atig; mesur a llunio dolen lac; ei rhoi am fy ngwddf, ei thynhau a neidio. *Kaput!*

'Hunanoldeb sydd wrth wraidd hunanladdiad.' Dw i'n cofio darllen hynny un tro. Ond mewn gwaed oer ac yn ei lawn synnwyr yr ysgrifennodd rhywun y geiriau yna, nid mewn gwewyr byd gwag, a bwystfil garw gwyllt yn llarpio galar yn ei gynddeiriogrwydd.

Mair! Mair! Ymbwylla! Nid y ti yw'r fam gyntaf na'r olaf i golli ei phlentyn. Nid y ti yw'r Fair gyntaf i golli ei phlentyn. Pam gwnest ti feddwl am ddringo'r ysgol o bopeth?

Ai am dy fod ti'n cofio am yr ysgol oedd ym mreuddwyd Jacob? Ysgol braff rhwng daear a nef, a myrdd angylion Duw yn esgyn ac yn disgyn hyd-ddi? Dwyt ti erioed wedi anghofio breuddwyd Jacob? Man cychwyn dy freuddwydion nosweithiol?

Angylion bychain Duw, a rŵan yn eu plith mae Doti fach. Ac mae Duw yn rhoi ei sanctaidd law ar ei phen ac yn dweud, "Wele, yr wyf i gyda thi." Breuddwyd Jacob ydi'r allwedd, Mair. Yr allwedd sy'n dat-gloi breuddwydion daer a nef. "Wele, yr wyf i gyda thi." Cyswllt ydi'r ysgol rhyngot ti a'r byd a ddaw. Y crëwr a'r rhai a grëwyd mewn cysylltiad parhaol â'i gilydd. Y freuddwyd yw'r cyswllt. Paid ar unrhyw gyfrif ag anwybyddu dy freuddwydion. Dy freuddwydion sy'n peri i ti esgyn a disgyn ysgol y meddwl yn rhwydd; yn dy ryddhau di o garchar amser. Gwada di dy freuddwydion, Mair Rhydderch, ac fe fyddi di'n taflu ymaith yr allwedd i ddrws dy gell. Mae'r allwedd yn y Gair. "Wele, yr wyf i gyda thi."

Profa rŵan nerth breuddwydion. A dos yn ôl i'r byd a fynni di.

Deffra a dos yr eiliad hon, os mynni, yn ôl i freichiau cryfion Nwgeri. Gad iddo foddi'th wyneb â'i gusanau. Gad iddo foddio'i chwant ym meddalwch gwyn dy gorff. Gwthia dithau yn erbyn ei angerdd, gollwng dy holl gyneddfau i brofi reid y ffigar êt gwefrgydiol... a bydd Nwgeri'n diflannu fel rhith niwlog o flaen dy lygaid.

Deffra, a dos yr eiliad hon yn ôl i Los Caracoles. A phwy fydd wrth y bwrdd yn llafnu y moch sugno, a'r sudd o'r saim sy'n sownd i'r cracling crimp yn diferu o'u cegau, a gobledi'r gwin gwaed wrth ddwy benelin yn gwagio'n gyflym? Nwgeri ac Igoris – yn y cnawd – neu aiê?

Deffra'n dawel, a sleifia trwy ddrws y cefn. Sleidia ddrws y tŷ gwydr yn agored a dos i chwilio'n ofer yn y pridd am benglog Rhodri. Ac ar dy ffordd yn ôl i'r tŷ oeda wrth y cloc, sy'n araf dipian ei oriau meithion yn y cyntedd, ac agor ddrws y pendil i ti gael cadarnhad mai rhith yw'r lluniau lliw a'r llith.

Deffra, Mair. Deffra, a dos yr eiliad hon i 'stafell wely Doti fach. Agor gil y drws nes bydd llafn o olau'n taro'r pen bach cyrliog ar y cwrlid gwyrdd. Ac fe weli'r llygaid bychain crych yn ceisio gwasgu'r golau o'i breuddwydion hithau.

Deffra a dos. Dos, Mair Rhydderch! Dos rŵan. Oherwydd dwyt ti byth yn siŵr na fyddi di'n deffro o'r daith yma unrhyw funud. Deffra, Mair, deffra a dos.

A bydd Arwyn yn gorwedd yn y gwely wrth dy ymyl.

Deffra a dos i lawr y grisiau ac ar lawr, o dan y twll llythyrau, bydd amlen anferth frown, ac arni farc post Llundain ac arfbais aur y Tywysog Nwgeri o Nacca Culaam.

Deffra a dos i brofi dy ryddhad.

Dos a gwêl.

Cans ger y llythyr mae 'na feic dwy olwyn sgleiniog a rhuban mawr coch ynghlwm i'r handl-bars...

* * *

Mair?

Hefyd gan Eirug Wyn:

Elvis: Diwrnod i'r Brenin
Cyfrol sy'n rhoi Brenin Roc a Rôl ar brawf. Cewch
wybod y gwir i gyd – a'r gau – am fywyd Elivs
Aaron Presley. Ffuglen ddifyr wedi ei seilio ar
ffaith.

0 86243 389 4

£4.95

Smôc Gron Bach
Mae criw o wŷr busnes am chwalu rhes o dai er
mwyn codi stiwdio deledu: nofel sy'n disgrifio
gwrthdaro rhwng y Gymru newydd ariangar a'r
hen Gymru ymlaciol… *Gwobr Goffa Daniel Owen
1994.*

0 86243 331 2

£4.95

Y Drych Tywyll a Storïau Eraill

Tair ar ddeg o storïau yn olrhain bywyd
o'r groth i'r gwely angau, a hiwmor du yn
treiglo trwyddynt fel triog.

0 86243 272 3

£3.95

Lara

Cyfres Datrys a Dirgelwch
Nofel gyffrous a leolir yng Nghymru,
Iwerddon a Phortiwgal yn y dyfodol agos.
Ai putain a lofruddiwyd gan un o'i
chleientau oedd Lara neu a oedd yna
gymhelliad gwleidyddol? A beth sydd gan
y Meibion i'w wneud â hyn oll?

0 86243 354 1

£4.50

I Ble'r Aeth Haul y Bore?

Nofel hanesyddol gyffrous a dirdynol am
ymgais y dyn gwyn i symud llwyth o
Navahos oddi ar eu tir adeg y rhyfel
cartref yn America.

0 86243 435 1

£5.95

Blodyn Tatws
Nofel ffantasïol yng Nghymru'r dyfodol lle mae
ymgais dechnolegol i greu y ferch berffaith yn
mynd allan o reolaeth. *Cyfrol y Fedal Ryddiaith
1998*

0 86243 482 3

£4.95

I Dir Neb
Nofel hanesyddol am effeithiau trychinebus y
Rhyfel Byd Cyntaf ar ddau deulu yn Sir Fôn sy'n
byw'n agos at ei gilydd – yn ddaearyddol ac yn
rhywiol.

0 86243 498 X

£5.95

Hogia'r Milgi
Un o brif smyglwyr gogledd Cymru a
pherchennog tafarn yw Ned Pyrs. Ond pan ddaw
swyddogion y tollau i'w herio ef a'i feibion, daw
cymorth i'r teulu o gyfeiriad annisgwyl...

0 86243 518 8

£3.95

Rydym yn cyhoeddi nifer fawr o nofelau
cyfoes, blaengar. Am restr gyflawn o'n
cyhoeddiadau, holwch am gopi rhad o'n
Catalog newydd sbon, lliw llawn – neu
hwyliwch i mewn i'n safle ar y we fyd-eang:
www.ylolfa.com!

CYHOEDDI • ARGRAFFU • DYLUNIO

TALYBONT CEREDIGION CYMRU SY24 5AP
e-bost ylolfa@ylolfa.com
y we www.ylolfa.com
ffôn (01970) 832 304
ffacs 832 782
isdn 832 813